ローマ字・かな対応表

	あ	い	う	え	お
あ	あ A	い I	う U	え E	お O
	ぁ LA(XA)	ぃ LI(XI)	ぅ LU(XU)	ぇ LE(XE)	ぉ LO()
か	か KA	き KI	く KU	け KE	こ KO
	きゃ KYA	きぃ KYI	きゅ KYU	きぇ KYE	きょ KYO
	くぁ QA	くぃ QI	くぅ QU	くぇ QE	くぉ QO
さ	さ SA	し SI(SHI)	す SU	せ SE	そ SO
	しゃ SYA / SHA	しぃ SYI	しゅ SYU / SHU	しぇ SYE / SHE	しょ SYO / SHO
た	た TA	ち TI(CHI)	つ TU(TSU)	て TE	と TO
	ちゃ TYA / CYA / CHA	ちぃ TYI / CYI	ちゅ TYU / CYU / CHU	ちぇ TYE / CYE / CHE	ちょ TYO / CYO / CHO
	つぁ TSA	つぃ TSI		つぇ TSE	つぉ TSO
	てゃ THA	てぃ THI	てゅ THU	てぇ THE	てょ THO
	とぁ TWA	とぃ TWI	とぅ TWU	とぇ TWE	とぉ TWO
な	な NA	に NI	ぬ NU	ね NE	の NO
	にゃ NYA	にぃ NYI	にゅ NYU	にぇ NYE	にょ NYO
は	は HA	ひ HI	ふ HU(FU)	へ HE	ほ HO
	ひゃ HYA	ひぃ HYI	ひゅ HYU	ひぇ HYE	ひょ HYO
	ふぁ FA	ふぃ FI		ふぇ FE	ふぉ FO
	ふゃ FYA	ふぃ FYI	ふゅ FYU	ふぇ FYE	ふょ FYO
ま	ま MA	み MI	む MU	め ME	も MO
	みゃ MYA	みぃ MYI	みゅ MYU	みぇ MYE	みょ MYO

	や	い	ゆ	いぇ	よ
や	や YA		ゆ YU	YE	よ YO
	ゃ XYA		ゅ XYU	え XYE	ょ XYO
	LYA		LYU	LYE	LYO
	ら RA	り RI	る RU	れ RE	ろ RO
	りゃ RYA	りぃ RYI	りゅ RYU	りぇ RYE	りょ RYO
わ	わ WA	うぃ WI	う WU	うぇ WE	を WO
ん	ん NN	ん N	Nに続けて子音を入力すれば，Nだけで「ん」となる。		
が	が GA	ぎ GI	ぐ GU	げ GE	ご GO
	ぎゃ GYA	ぎぃ GYI	ぎゅ GYU	ぎぇ GYE	ぎょ GYO
ざ	ざ ZA	じ ZI(JI)	ず ZU	ぜ ZE	ぞ ZO
	じゃ JYA / ZYA / JA	じぃ JYI / ZYI	じゅ JYU / ZYU / JU	じぇ JYE / ZYE / JE	じょ JYO / ZYO / JO
だ	だ DA	ぢ DI	づ DU	で DE	ど DO
	ぢゃ DYA	ぢぃ DYI	ぢゅ DYU	ぢぇ DYE	ぢょ DYO
	でゃ DHA	でぃ DHI	でゅ DHU	でぇ DHE	でょ DHO
	どぁ DWA	どぃ DWI	どぅ DWU	どぇ DWE	どぉ DWO
ば	ば BA	び BI	ぶ BU	べ BE	ぼ BO
	びゃ BYA	びぃ BYI	びゅ BYU	びぇ BYE	びょ BYO
ぱ	ぱ PA	ぴ PI	ぷ PU	ぺ PE	ぽ PO
	ぴゃ PYA	ぴぃ PYI	ぴゅ PYU	ぴぇ PYE	ぴょ PYO
ヴぁ	ヴぁ VA	ヴぃ VI	ヴ VU	ヴぇ VE	ヴぉ VO

つ（促音）
後ろに子音を2つ続ける。　例 だった…DATTA
単独で入力するとき「L」または「X」を付ける。
っ　LTU(XTU)

(注)日本語入力システムの違いによって，表記のように変換されない場合がある。

おもな記号の読み方と入力の仕方

記号	読み方	入力		記号	読み方	入力
！	感嘆符／エクスクラメーションマーク	Shift + 1ぬ		｀	バッククォート	Shift + @・
＄	ドル記号	Shift + $4う		；	セミコロン	;れ
'	アポストロフィー／シングルクォーテーション	Shift + 7や		］	終わり大括弧／終わり角括弧	]む
～	チルダ	Shift + ^へ		＜	小なり	Shift + <ね
＠	アットマーク	@・		／	スラッシュ	?／め
｛	始め中括弧／始め波括弧	Shift + [		＼	バックスラッシュ	注：バックスラッシュは「スラッシュ」と入力して変換する。
＊	アスタリスク／アスタリスク	Shift + :け		＃	ハッシュ	Shift + #3あ
，	カンマ	<、ね		＆	アンパサンド／アンド	Shift + &6お
＞	大なり	Shift + >る		＾	ハット／山記号	^へ
＿	アンダーバー／アンダースコア	Shift + \ろ		｜	パイプライン／縦棒	Shift + ¥
＂	ダブルクォーテーション	Shift + 2ふ		［	始め大括弧／始め角括弧	[
％	パーセント	Shift + %5え		：	コロン	:け
－	ハイフン／マイナス	=ほ		｝	終わり中括弧／終わり波括弧	Shift +]む
￥	円記号	¥		．	ピリオド／ドット	>る
				？	疑問符／クエスチョンマーク	Shift + ?／め

おもなファイル形式と拡張子

拡張子	ファイル形式	データの種類	特徴
txt	テキスト	文字	文字データだけで構成されたファイル。アプリケーションソフトウェア固有の情報をもたないため、互換性が高い。
csv			データをコンマ「，」で区切って並べたファイル形式。
htm	テキスト	Web ページ	テキスト形式で記述された Web ページ記述言語のファイル形式。文書の中に画像や音声，動画，ほかの文書へのハイパーリンクなどを埋め込むことができる。
pdf	PDF	文書	アドビ社によって開発された，電子文書のファイル形式。
bmp	BitMap	画像	ディスプレイのドット表示に対応したビットマップ（点の集合）の形でデータを保存する。
jpg	JPEG		写真などを少ない容量で記録できるフルカラー静止画像データの圧縮形式の一つ。
gif	GIF		256 色以下の色を表現できるファイル形式。圧縮・伸張が可能である。
png	PNG		フルカラーを劣化なしで圧縮できたり，ピクセルごとに透明度を指定できたりする。
avi	AVI	動画	MPEG-1 形式で圧縮された動画ファイル。
mpg	MPEG		音声を含むカラー動画を圧縮して保存した動画ファイル。
mid	MIDI	音声	電子楽器などで音楽を演奏するための音程や音色などをデータとして保存する形式。
mp3	MP3		「MPEG-1 Audio Layer-3」形式で圧縮された音声データファイル。
wav	WAVE		音楽などの音声データファイル。通常は圧縮されていないのでファイルサイズが大きい。
zip	ZIP	圧縮	ファイルを圧縮する方法の一つである ZIP 形式によって圧縮されたファイル。
docx	MS Word	アプリケーションソフト	Microsoft 社のワープロソフト「Word 2007」以降のバージョンで作成された文書で標準的に使われるファイル形式。
doc			Microsoft 社のワープロソフト「Word 2003」までのバージョンで作成された文書で標準的に使われていたファイル形式。
xlsx	MS Excel		Microsoft 社の表計算ソフト「Excel 2007」以降のバージョンで作成されたファイルで標準的に使われるファイル形式。
xls			Microsoft 社の表計算ソフト「Excel 2003」までのバージョンで作成されたファイルで標準的に使われていたファイル形式。
pptx	MS PowerPoint		Microsoft 社のプレゼンテーションソフト「PowerPoint 2007」以降のバージョンで作成されたファイルで標準的に使われるファイル形式。
ppt			Microsoft 社のプレゼンテーションソフト「PowerPoint 2003」までのバージョンで作成されたファイルで標準的に使われていたファイル形式。

パーフェクトガイド

Perfect Guide Information

情報

Office 2019 対応

実教出版

目次
Contents

本書は2019年6月現在の状態のものをもとに作成しております。お使いの環境によっては掲載されている画面図と同じにならない場合がございますので，あらかじめご了承ください。

リファレンス

おもな登場人物

ミノル

　実教高校2年生の元気な男の子。文化祭実行委員になってさまざまな作業をコンピューターで処理することになり，四苦八苦しながらも成長していく。

キョウコ

　実教高校3年生で，ミノルの文化祭実行委員会の先輩。コンピューター系が得意で，ミノルのピンチを幾度となく救う。

本書の使い方

1章～6章

　本書では，現代の情報社会において必須なパソコンの基本操作を習得できます。「例題」や「類題」を通して，さまざまな情報の収集と整理，発信を行いながら情報の活用法を身に付けてください。「特集」のページでは，大学や社会でも役立つ知識を掲載しました。

これで解決！

マンガで起こった状況を説明しています。

Keyword

そこで扱う重要用語をまとめています。

❗注意　　操作についての注意点です。

▶リンク　関連する内容のページです。

リファレンス

　パソコンに限らず，携帯電話・スマートフォンを含めた情報社会でのマナーやインターネットにひそむ危険，個人がもつ権利について扱っています。実際の事例なども交えて説明していますので，インターネット上でのトラブルに巻き込まれないよう，自分の身を守るための知識を身に付けてください。

　実際に起こった事例やその対応，見解などを掲載しています。

　知っておくとよい情報や用語，知識を掲載しています。

ダウンロードデータ

　本書で使用するデータ(ひな形データ，画像データ，完成データ)は，https://www.jikkyo.co.jp/download/からダウンロードできます。(「パーフェクトガイド情報」で検索を行ってください。)

1 パソコンの起動と終了

パソコンの電源ってどこ？

れ で 解 決 ！

　ミノルはスマートフォン（スマホ）ユーザーで，友だちとの連絡やインターネットを使った検索もすべてスマートフォンで行っています。説明を聞けば，パソコンもすぐに使えると思っていたところ，基本的なことが全然わからなくて大あわて。

　現代社会では，共同作業をするのにパソコンを使うことがとても多く，またビジネスの場においても資料作成のほとんどはパソコンで行われているのが現状です。スマートフォンだけで大丈夫！なんて思わずに，パソコンの使い方を学習しましょう。

Keyword

ユーザー ID

　コンピューターやネットワークを利用する個人を識別するための英数字などをさす。ID とは identification の略で，識別や身分証明という意味である。**アカウント**や**ユーザーアカウント**ということもある。

ログイン／ログアウト

　ユーザー ID とパスワードを使って，コンピューターやネットワークに接続する操作のことをいう。**ログオン**または**サインイン**ともいう。接続を切断，または利用を終了する操作を**ログオフ**，**サインアウト**という。

例題1　パソコンを使ってみよう

　パソコンを起動し，デスクトップ画面を表示してみよう。

1 ▶ パソコンの起動（Windows10 の起動）

①パソコンの電源ボタン ⏻ を押す。

②パソコンが起動[1]し，ロック画面が表示される。

2 ▶ サインイン

①ロック画面でクリックするか，または任意のキーを押すとサインイン画面が表示される。

②パスワードを入力し，→ をクリックする（または Enter を押す）。

③デスクトップ画面が表示される。

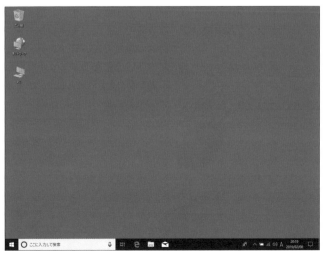

---

❶ 起動

パソコンに電源を入れることや，アプリケーションソフトウェアを動作させることをいう。

! 注意

ノートパソコンの中には，電源ボタンを押さずにスライド（右や下に引く）して電源を入れるものもある。

○ Windows10

Microsoft 社が開発した OS（オペレーティングシステム）。さまざまなアプリケーションソフトウェアを動かすための基本ソフトウェア。

本書は Windows10 を基本とする。

! 注意

起動時に表示される画面はパソコンの環境により異なり，ロック画面などが表示されず，最初からデスクトップ画面が表示されることもある。また，サインインのとき，複数のユーザーがいる場合には，ユーザーを選択する画面が表示される場合もある。

なお，デスクトップ画面の背景色や表示されるアイコンの数は，パソコンの環境によって異なる。

例題 2 パソコンを終了しよう

パソコンを終了し，シャットダウンしてみよう。

1 ▶ シャットダウン

①デスクトップ画面の左下にある ■ [**スタート**]ボタンをクリックすると，メニューが開く。

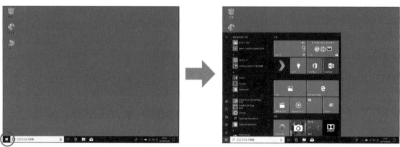

②表示されたメニューの中から ○ (**電源**)をクリックすると，さらにメニューが開く。
[**シャットダウン**]をクリックすると，設定の保存などが行われ，最後に自動的に電源が切れる。

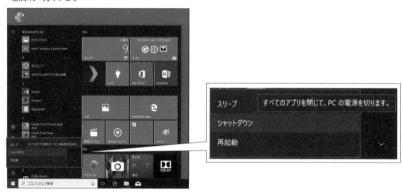

○ マウスポインター
マウス操作の対象となっている現在地を示す矢印などの画像のこと。マウスを動かすと，連動して画面上のマウスポインターも移動する。
マウスポインターの形は操作中のソフトウェアやその対象によって変化する。

【マウスの操作方法】
クリック………………マウスの左ボタンを1回，カチッと音がするように押す。
ダブルクリック………マウスの左ボタンを，カチッカチッと連続で音がするように2度連続で押す。
ドラッグ………………マウスの左ボタンを押したまま，マウスを移動する。
ドラッグ&ドロップ…マウスの左ボタンを押したまま，マウスを移動（ドラッグ）し，目的の場所で左ボタンから手を離す（ドロップ）。
スクロール……………マウス中央にあるホイールを回転させることで，画面を上下に動かす（スクロール）ことができる。

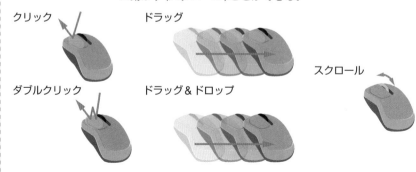

例題3 アプリケーションソフトウェア(アプリ)を起動してみよう

ペイントを起動してみよう。ウィンドウ操作を確認し，最後にペイントを終了しよう。

1 ▶ アプリの起動

【起動方法1……[スタート]メニューにタイル表示されている場合】

[スタート]メニューに[ペイント]❶のタイルがある場合には，これをクリックする。

❶ ペイント
Windowsに付属しているアプリの一つ。画像を作成・編集できる。

！注意

パソコンの環境によってアプリの起動方法は異なる。
例えば[ペイント]は，初期設定ではタイル表示されていない。
アプリは，起動方法1〜4のいずれかで起動できるので，使用するパソコンに合わせて操作しよう。

【起動方法2……[スタート]メニューにタイル表示されていない場合】

[スタート]ボタンをクリックし，表示されたメニューの中から，[**Windows ア クセサリ**]−[ペイント]の順にクリックする。

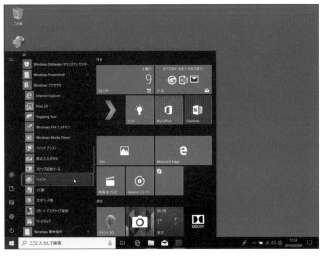

1章

❶ アイコン
ファイルやフォルダーなどを示す図やイラストのこと。

○ ピン留め
Windows 10 では、デスクトップ画面のタスクバー上などに指定したファイルやアプリのアイコンを常に表示させておくことができる。これを**ピン留め**という。よく使用するアプリなどはピン留めしておくと、すぐに起動することができる。[**スタート**]メニューの中にあるピン留めしたいアプリのアイコン上で右クリックし、表示されたメニューから、[**その他**]−[**タスクバーにピン留めする**]をクリックすればよい。

【起動方法3……タスクバーにアイコンが表示されている場合】
タスクバーに[**ペイント**]のアイコン❶がある場合には、これをクリックする。

【起動方法4……デスクトップにアイコンが表示されている場合】
デスクトップに[**ペイント**]のアイコンがある場合には、これをダブルクリックする。

2 ▶ アプリの画面構成

①タイトルバー……………………起動しているアプリ名とともに、作成している文書や画像の名前が表示される。一度も保存操作をしていないときには、「無題」など、仮の名前が表示される。

②タブ……………………………[**ホーム**]、[**表示**]などの各タブをクリックするとリボンが切り替わる。

③リボン…………………………使用できる機能がタブごとに整理されて表示される。

④ステータスバー………………機能の説明やアプリの状況などが表示される。

⑤最小化ボタン…………………ウィンドウを最小化し、タスクバーに格納する。元に戻すときは、タスクバー上のアイコンをクリックする。

⑥最大化／元に戻す(縮小)ボタン…ウィンドウを最大化する。ウィンドウを最大化しているときにこのボタンをクリックすると、最大化する前のウィンドウの大きさに戻る。

⑦閉じるボタン…………………アプリが終了し、ウィンドウが閉じる。

⑧スクロールバー………………画面の下などにあるウィンドウ内に表示されていないデータは、このバーを動かすと表示される。表示する範囲を変えるときに使用する。

<div class="margin-notes">

○ スナップ機能
Windows10では, ウィンドウを画面の端にドラッグすると, ウィンドウのサイズが自動的に変更される機能があり, これを**スナップ機能**という。初期設定では有効に設定されており, 例えばウィンドウを画面上端にドラッグすると, ウィンドウが自動的に最大化して表示される。
ウィンドウを画面左または右端にドラッグすると, ウィンドウが画面の半分の大きさで表示される。スナップでサイズ変更したウィンドウは, タイトルバーをダブルクリックすると, ウィンドウのサイズを元の状態(直前の表示位置とサイズ)に戻すことができる。

❷
メニューバーにある[**ファイル**]-[**終了(×)**]をクリックして終了することもできる。なお, アプリによっては, [**ファイル**]-[**閉じる**]が終了操作となる。

!注意
文字の入力や, 絵を描いた後に終了操作を行うと, 保存するかどうかのメッセージが表示される。必要に応じて, 保存操作などを行うこと。

</div>

■ 3 ▶ ウィンドウの操作

【最小化】

①タイトルバーの右側にある −(**最小化**)をクリックする。

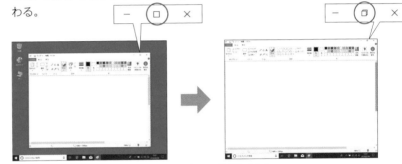

②ウィンドウが最小化され, タスクバーにアイコンで表示される。

③タスクバーにあるアイコンをクリックすると, ウィンドウは元の状態に戻る。

【最大化】

①タイトルバーの右側にある □(**最大化**)をクリックすると, ウィンドウが最大化され, 画面いっぱいにアプリが表示される。 □ は □ **元に戻す(縮小)**に表示が変わる。

② □ をクリックすると, ウィンドウが元の状態に戻る。

【サイズ変更】

　ウィンドウが最大化されていない状態で, ウィンドウの四隅や境界線上にマウスポインターを置くと, マウスポインターの形が ↖ や ↔ に変わる。この状態でドラッグすると, ウィンドウのサイズを変更することができる。

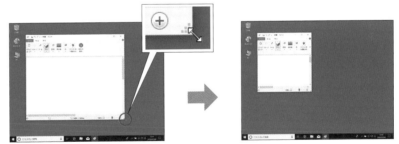

【移動】

　タイトルバー上にマウスポインターを置き, ドラッグする。マウスのボタンから手を離すと, その位置にウィンドウが移動する。

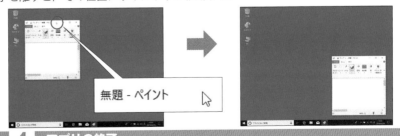

無題 - ペイント

■ 4 ▶ アプリの終了

　タイトルバーにある ×(**閉じる**)をクリックすると, 起動していたアプリは終了する。❷

2. ファイルとフォルダー

ファイルの整理って，どうすればいい？

これで解決！

ネットワークドライブなどの保存場所に，ルールを決めずにファイルやフォルダーをどんどん保存していくと，次に使いたいときに，使用したいファイルがすぐに見つけられず，探すのに時間や手間がかかってしまいます。特に共同作業をする場合には，ほかの人が使いやすいように，わかりやすい名前でファイルやフォルダーを作成し，保存場所内を整理整頓するようにしましょう。

ここでは，フォルダーを作成し，ファイルを管理する方法について学習してみましょう。

Keyword

ネットワークドライブ

ネットワークで接続された別のコンピューターの共有フォルダーなどを，自分のコンピューターに接続されたドライブであるかのように利用できるようにしたもの。**ドライブ** (drive)は「駆動装置」という意味で，記憶媒体を読み書きする装置のことをいう。

ファイル

データのまとまりのこと。文書ファイルや画像ファイルなど，さまざまな種類がある。

フォルダー

ファイルを入れておく入れ物のこと。フォルダーの中に，さらにフォルダーを作成することもできる。フォルダーを使うことで，ファイルを分類したり，整理したりすることができる。

例題 4 ｜ フォルダーを作成してファイル操作をしてみよう

デスクトップに練習用のフォルダーを作成し，フォルダー名を「練習」と付けよう。また，ファイルの移動やコピーなどの操作を練習してみよう。

❶
同様の操作で，ほかの場所にもフォルダーを作成することができる。

○ フォルダーの削除
ごみ箱へフォルダーをドラッグするか，またはフォルダーを選択後，右クリックし，表示されたメニューから[**削除(D)**]をクリックする。

▶リンク
文字入力
(→ p.21)

❷
ファイル名を変更する場合も同様の操作で変更することができる。

❸
ほとんどのアプリは同様の操作でファイルの保存を行うことができる。ここでは，「ペイント」で絵を描くなどの操作をしてから保存してみよう。

！注意
ここでは，初期設定で表示されるユーザーの[**ピクチャ**]フォルダーをそのまま保存場所としている。
なお，アプリは，最後に保存したファイルの場所を記憶しているので，次に起動したときには，その保存場所が最初に表示される。

---

1 ▶ フォルダーの作成

①デスクトップ上の何もないところで右クリックすると，ショートカットメニューが表示される。[**新規作成(X)**]-[**フォルダー(F)**]をクリックすると，デスクトップ上にフォルダーが作成される。❶

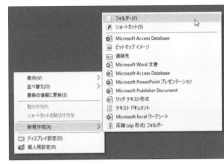

②半角/全角を押し，日本語入力オンの状態にする。キーボードで R E N S Y U U と入力し，スペースを押して「練習」に変換する。Enter を押すとフォルダー名が確定される。

【フォルダー名の変更】
入力の途中で誤ってフォルダー名を確定してしまったときは，フォルダーを選択後，右クリックし，表示されたメニューの中から[**名前の変更(M)**]をクリックすると，再び文字入力の状態になる。❷

2 ▶ ファイルの保存

アプリを使って作成したファイルは，保存しないとパソコンの電源を切ったときに消えてしまう。ここでは，ペイントを例にファイルの保存方法を説明する。❸

①[**ファイル**]-[**名前を付けて保存(A)**]をクリックすると，[**名前を付けて保存**]のダイアログボックスが表示されるので，保存場所を確認する。なお，必要な場合には保存場所を変更すること。

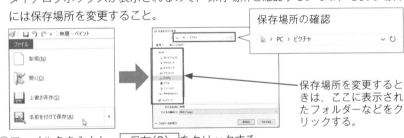

保存場所の確認

保存場所を変更するときは，ここに表示されたフォルダーなどをクリックする。

②ファイル名を入力し，保存(S) をクリックする。

ここでは test という名前にしている。
ファイルの種類は変更することもできる。

| ファイル名(N): | test |
| ファイルの種類(T): | PNG (*.png) |

ファイル名を入力後，クリックする。

③タイトルバーにファイル名が表示される。

test - ペイント

3 ▶ ファイルの上書き保存

すでに名前が付いているファイルに情報を追加した場合には，**上書き保存**を行う。
[**ファイル**]-[**上書き保存(S)**]をクリックする。

画面上の変化は特にないが，この操作でファイルは上書き保存されている。

4 ▶ ファイルの移動

❶ アイコン
ファイルやフォルダーなどを示す図やイラストのこと。

①移動したいファイルがあるフォルダーなどを開き，ファイルのアイコン❶を表示する。ここでは，例として[**ピクチャ**]フォルダーにあるファイルを移動する。

移動するファイルを選択後，右クリックし，表示されたメニューから[**切り取り(T)**]をクリックする。

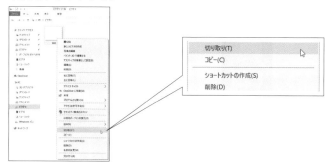

②切り取ったファイルのアイコン表示が薄くなったことを確認する。

③移動先のフォルダーなどを開く。ここでは，例としてデスクトップへファイルを移動する。

デスクトップ上で右クリックする。表示されたメニューから[**貼り付け(P)**]をクリックする。

ファイルは移動し，元のフォルダーにあったファイルのアイコン表示は消える。

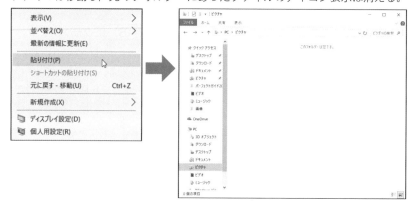

5 ▶ ファイルのコピー

①コピーしたいファイルがあるフォルダーなどを開き，ファイルのアイコンを表示する。コピーするファイルを選択後，右クリックし，表示されたメニューから[**コピー(C)**]をクリックする。

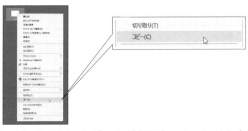

②コピー先のフォルダーなどを開き，ウィンドウ内で右クリックする。表示されたメニューから[**貼り付け(P)**]をクリックする。
ここでは，例として p.11 で作成した「練習」フォルダーへコピーする。

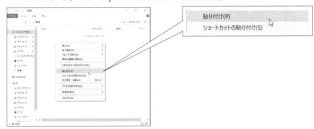

③ファイルがコピーされる。

6 ▶ ファイルの削除

①デスクトップにある[**ごみ箱**]へファイルをドラッグする。
ファイルは[**ごみ箱**]へ移動する。❷

空の状態　　移動後

②ファイルを完全にパソコンから削除するには，[**ごみ箱**]を空にする。
[**ごみ箱**]を選択し，右クリック後，表示されたメニューから[**ごみ箱を空にする(B)**]をクリックする。

7 ▶ ファイルの検索

①任意のフォルダーを開く。
②検索したい場所を指定し，右上のボックスにファイル名などを入力すると検索が開始される。

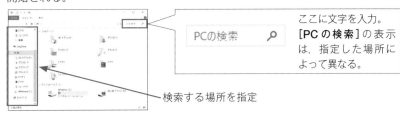

ここに文字を入力。
[**PCの検索**]の表示は，指定した場所によって異なる。

検索する場所を指定

---

❷
ファイルを選択後，右クリックし，表示されたメニューから[**削除(D)**]をクリックすることで，同様にファイルを削除できる。

！注意
ネットワーク上やUSBメモリにあるファイルなどは，ごみ箱に移動せず，直接すぐに削除される。

○ 検索ボックス
タスクバーの[**検索ボックス**]からも検索できる。

---

3. Web ブラウザー

インターネットを使って，情報を収集してみよう！

これで解決！

　インターネットはさまざまな情報の宝庫です。文化祭を成功させるためにも，情報収集にチャレンジしてみましょう。ここでは，インターネットから有益な情報を引き出すために，Web ブラウザーの使い方と検索テクニックを学習しましょう。

Keyword

WWW（World Wide Web）

　世界中の Web サーバーで公開されている情報を，インターネット上の Web ページとして閲覧することができる仕組みのこと。
　World Wide Web とは「世界中に広がった蜘蛛の巣」という意味で，膨大な Web ページどうしのつながりが，巨大な蜘蛛の巣のように見えることから，このシステムを考案したティム・バーナーズ＝リーによって名付けられた。

Web サーバー（WWW サーバー）

　HTML ファイル（→ p.152）や画像などの情報を蓄積し，Web ブラウザーなどからの要求に応じて，この情報を提供するサービスを行うコンピューターのこと。また，その機能をもつソフトウェアのことも Web サーバーと呼ぶ。

Web ブラウザー（ブラウザー）

　Web ページを閲覧するためのソフトウェアのこと。さまざまな種類があり，代表的な製品として，Microsoft Edge, Internet Explorer, Google Chrome などがある。

Microsoft Edge

Internet Explorer

Google Chrome

URL（Uniform Resource Locator）

　インターネット上にあるデータやサービスなどの情報資源が存在している場所を表すもの。定められた記述形式（→ p.17）によって表される。

検索サイト

　インターネットに存在する情報を検索する仕組みを提供する Web サイトのこと。検索だけでなくニュースや辞書などさまざまなサービスを提供するポータルサイト（WWW の入口となるサイト）型のものが多い。

例題5 Web ブラウザーを起動して，検索サイトを表示してみよう

　Microsoft Edge を起動後，検索サイト Google のページを表示してみよう。

!注意

ここでは，
Windows10 に標準でインストールされているWebブラウザー「Microsoft Edge」を使って説明する。
なお，Windows10 には「Internet Explorer11」も搭載されている。

!注意

トップページ表示後，アドレスバーを見ると，https://www.google.co.jp/?gws_rd=ssl などに自動的に表示が変更される。これはユーザーのプライバシー保護のため，暗号化通信をする仕組みが動いているからである。

■1 ▶ Microsoft Edge の起動

①デスクトップ画面を表示し，タスクバーにある[**Microsoft Edge**]のアイコンをクリックする。

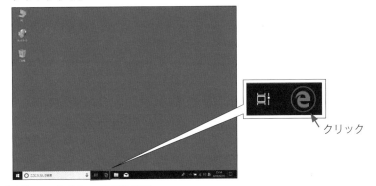

クリック

② Microsoft Edge が起動する。

■2 ▶ URL の入力

①[**スタート**]画面が表示される。[**検索または Web アドレスを入力**]のボックスにhttps://www.google.co.jp/ と入力し，Enterを押す。

② Google のトップページが表示される。

・例題 6 検索サイトを使って調べてみよう

キーワードを入力し，情報を収集してみよう。

なお，検索結果は日々変わるため，右図のように表示されるとは限らない。

※ここでは前ページに引き続き，検索サイトは Google を使用している。

▶リンク

文字入力
(→ p.21)

○ **インスタント検索**
検索キーワードに合った検索候補が次々に表示される機能。初期設定では動作しているが，候補を表示しないように設定することもできる。

○ **検索候補**
本書では，入力した文字を確定して検索を行っているが，入力途中で表示される検索候補の文字をクリックしても同様の検索結果が表示される。

1 ▶ キーワードの入力

①検索ボックスをクリック後，[半角/全角]を押し，日本語入力オンの状態にする。「ぶんかさい」(ローマ字入力だと[B][U][N][K][A][S][A][I])と文字入力を開始すると，画面が切り替わり，検索候補が表示されはじめるので，[スペース]を押して漢字に変換する。「文化祭」に変換されたら，[Enter]で文字を確定する。

②もう一度[Enter]を押すと，検索結果が表示される。

③表示された項目をクリックすると，該当の Web ページへジャンプする。

2 ▶ Microsoft Edge の基本操作

Web ページを閲覧するときに，よく使用するボタンとして次のものがある。

← ①**戻る**……現在見ているページの一つ前に表示したページに戻る。ブラウザーの起動時など，前のページがない場合は使用できない。

→ ②**進む**……「戻る」ボタンで戻ったページ分だけ進むことができる。進むページがない場合は使用できない。

↻ ③**更新**……クリックすると，表示している Web ページを再度読み込み，最新情報を表示する。

✕ ④**閉じる**…クリックすると，Microsoft Edge が終了する。

■ 3 ▶ 複数のキーワードによる検索

○ 検索オプション

検索サイトのオプション設定を使うと，特定のキーワードを除外して検索したり，特定のサイト内のみ検索したりすることなどもできる。
Googleの場合は，画面右下にある[設定]−[検索オプション]をクリックする。

○ 名前の変更

「お気に入り」に登録する名前は，変更することができる。

検索に使用するキーワードは複数指定することができる。また，複数のキーワードを指定すれば，検索結果をより絞り込むこともできる。なお，キーワードを追加するときには，スペースを1度押し，キーワードとキーワードの間に空白を入れること。

該当するページの数が減っている。

■ 4 ▶ 「お気に入りに追加」と「履歴」

よく利用するWebページは，「お気に入り」に追加すると，次回から簡単にアクセスできる。

①お気に入りに追加したいWebページを表示し，☆をクリックする。

②名前などを確認し，追加をクリックすると登録される。

③☆[お気に入り]をクリックすると，「お気に入り」に登録されていることが確認できる。この登録名をクリックすれば，すぐにそのWebページを表示することができる。また，⏱[履歴]をクリックすると，過去に閲覧したWebページの一覧が表示される。この履歴からWebページにアクセスすることもできる。

お気に入りに追加
したWebページ

╫α プラスアルファ URL の構成

https://www.google.co.jp/index.htm
① ② ③ ④⑤ ⑥

①**スキーム名**……情報を取りに行く手段を示している。https以外に，httpやftpなどがある。

②**ホスト名**………コンピューター(サーバー)の名前。ネットワークにつながっているコンピューターをホストと呼ぶ。WWWのサービスをしているコンピューターなので，WWWという名前を付けている組織が多い。

③**組織名**…………会社名や団体名など，組織の名前。③〜⑤を合わせて**ドメイン名**という。

④**属性**……………coは一般企業，goは政府関係など，組織の種類を表している。

⑤**国符号(国別)**…国を表す。jpは日本を表している。国符号が付かないURLもある。

⑥**ファイル名**……表示しているファイルの名前。この部分の入力を省略した場合，Webサーバーがトップページに該当するファイルを自動的に補って，Webページの表示を行う。

1. Word の基本操作

ワープロソフトを使ってみよう

これで解決！

　案内状や報告書などのさまざまな文書は，ワープロソフトを使って作成し，保存しておくといったことが一般的に行われています。例えば，毎年，文化祭の案内状を近隣の高校へ送る場合，文書を作成し保存しておけば，次の年からは日付や担当者などを部分的に変更すれば，すぐに文書が完成します。また，パソコンにファイルとして保存しておけば，手書きした紙で保存するときのように，棚や机の引き出しなどの場所を取ることもありません。ファイル名やフォルダー名など，保存する場合のルールを決めておけば，すぐに文書を開いて確認することもできます。ここでは，ワープロソフトを使って，さまざまな文書を作成してみましょう。

Keyw🛡rd

ワープロソフト

　文書を作成するソフトウェアのこと。ワープロはワードプロセッサーの略である。文字の入力や編集だけでなく，文字のデザインや大きさ，色などの変更，表や画像の挿入，作成した文書の印刷など，さまざまな機能をもっている。代表的な製品として，Microsoft 社の Word，ジャストシステム社の一太郎などがある。

例題1　Word2019 を起動し，画面構成を確認してみよう

　Word2019 を起動し，各部の名称を確認してみよう。
　確認後，Word を終了しよう。

▶リンク

起動方法
（→ p.7）

1 ▶ Word2019 の起動

①Word2019 を起動する。

②Word のスタート画面が表示される。
　ここでは[**白紙の文書**]をクリックする。

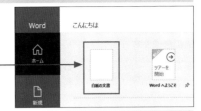

③新規文書が表示される。

2 ▶ Word2019 の画面構成

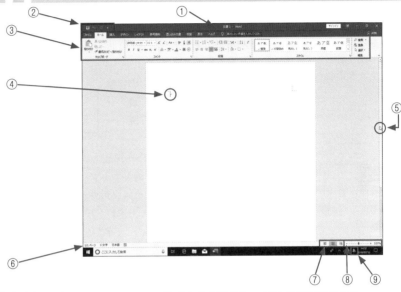

①**タイトルバー**………………………作成中の文書（ファイル）名が表示される。

②**クイックアクセスツールバー**…よく使う機能を登録できるバー。標準では[**上書き保存**] [**元に戻す**] [**繰り返し**]ボタンが表示されている。

③**リボン**…………………………Word を操作するときに使用するボタンが表示される領域。操作の種類で分けられているタブごとにそれぞれボタンが表示される。

④**カーソル**……………………文字が入力される位置を示す。

⑤**マウスポインター**……………マウスポインターの現在位置。マウスポインターの形は，作業状態によって変化する。

　　　　　　　　　　　　　　　　Ｉ 文書内にマウスポインターがあるとき

　　　　　　　　　　　　　　　　▷ リボン上にあるボタンなどを選択しているとき

⑥**ステータスバー**………………入力中の文書の情報が表示される。

⑦**表示モード**…………………各ボタンをクリックすると表示モードが変更される。

　　📖 **閲覧モード** ……………画面全体で文書を閲覧するとき

　　📄 **印刷レイアウト** …………文字や画像など，印刷時の配置を確認するとき

　　📰 **Web レイアウト** …………Web ページ用の文書を作成するとき

⑧**ズームスライダー**……………文書の表示倍率を変更するときに利用する。

⑨**入力インジケーター**…………通知領域に表示される現在の入力モード。Word は起動すると自動的に日本語入力が可能な状態になり，入力インジケーターは **あ** と表示される。❶

❶
[半角/全角] を押すと，日本語入力のオン／オフが切り替わる。オフのとき，入力インジケーターは **A** となる。

!注意

本書では，ローマ字
入力を前提にこれ以
降の説明を行う。

❶
入力インジケーター
あ 上で右クリック
し，表示されたメ
ニューから選択して
切り替えることもで
きる。

▶リンク

キーの名称とその機能
(→見返し(1)〜(2))

3 ▶「ローマ字入力」と「かな入力」

　文字入力の方式には「ローマ字入力」と「かな入力」がある。ローマ字入力は，アル
ファベットを組み合わせ，日本語の読みを入力し，変換する方式である。これに対
してかな入力は，キーボード上にあるかな文字をそのまま打鍵して入力し，変換す
る方式である。一般に，キーの位置を覚える数が少なく，また英文を入力すること
もあるため，ローマ字入力の方式を選ぶ人が多い。

　入力方式は，キーボードの Alt を押しながら カタカナひらがな を押すと，ロー
マ字入力とかな入力にそれぞれ切り替えることができる。❶

4 ▶キーボード上の文字

　キーには最大4つの文字や記号が表示されている。キーボードに刻印されている
字をそのまま入力するときは Shift を押したまま打鍵したり，入力モードを切り
替えるなどの操作を行う。

ローマ字入力の状態		かな入力の状態
Shift を押しながら打鍵　→	% え	← Shift を押しながら打鍵
そのまま打鍵　→	5 え	← そのまま打鍵

＋α プラスアルファ　挿入モードと上書きモード

　文字入力のモードには「挿入モード」と「上書きモード」がある。初期設定では
挿入モードになっており，カーソルのある位置に文字を追加していく。例えば，
「あああいいい」と文字が入力された状態で，「あ」と「い」の間にカーソルを置く。
「うう」と入力を開始すると，文字が追加され「いいい」は後ろに移動していく。
Enter で確定すると，文字間に挿入された状態になる。

　Insert を押すと，上書きモードに切り替わる。同様に「あああいいい」と文
字が入力された状態で，「あ」と「い」の間にカーソルを置く。「うう」と入力を開
始すると，すでに入力された「い」の文字が消えていき，その上に「う」の文字が
上書きされ，Enter で確定すると文字が上書きされた状態になる。基本的に
は挿入モードで入力し，必要があるときに切り替える。

入力モード	入力開始時	入力中	確定後
挿入モード	あああ|いいい↵	→ あああうう|いいい↵	→ あああううい|いいい↵
上書きモード	あああ|いいい↵	→ あああうう|い↵	→ あああううい|↵

5 ▶Word2019 の終了

①タイトルバーの右端にある ✕ **(閉じる)**をクリックする。

②文字(スペースを含む)が入力されていると，保存するかどうかのメッセージが表
示される。

　ここでは 保存しない(N) をクリックし，文書を保存せずに終了する。

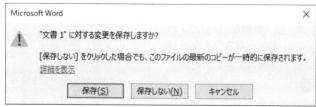

・例題2 文字を入力して保存してみよう

　Word を起動しよう。白紙の文書を用意して文字を入力し，「文化祭企画」とい
うファイル名で保存しよう。

（ファイル名「文化祭企画」）

もちつき↵
コーヒーカップ↵
ジェットコースター↵
ＡＲ↵
Dance↵
仮装大会↵

1 ▶ ひらがなの入力

①M O T I T U K I とキーを押す。入力途中で次々に予
測候補が表示される。❷ ここでは，「もちつき」と文字が表示された状態で Enter
を押して確定する。

　ひらがなは，基本的にその読みを打鍵し，確定すればよい。

②確定後，Enter を押し，改行する。

❷
予測候補は1文字目
から表示されるの
で，最後まで文字を
入力しなくても予測
候補から簡単に文字
を入力することがで
きる。予測候補から
文字を選択するとき
は，Tab を押して選
択する。

2 ▶ カタカナの入力

①K O ─ H I ─ K A P P U とキーを押す。入
力途中で次々に予測候補が表示される。スペース を押す。全角カタカナに変換
される。Enter を押して確定する。

②J E T T O K O ─ S U T A ─ とキー
を押す。入力途中で次々に予測候補が表示される。予測候補の中に候補がないの
で，F8 を押す。半角カタカナに変換される。Enter を押して確定する。

③確定後，Enter を押して改行する。

○ 長音記号
長音「─」は = ～ほ
を押す。

○ 全角カタカナ
文字を入力後，F7
を押すと全角カタカ
ナに変換される。予
測候補に全角カタカ
ナが表示されない
ときは，この方法で変
換する。

○ 半角と全角
一般に文字の大きさ
の縦横比が2：1に
なるものを**半角**，1：
1になるものを**全角**
という。

オハヨウ↵

オハヨウ↵

上が半角，下が全角
である。

3 ▶ 無変換

①A R とキーを押す。画面には「あ r」と表示される。F9 を押す。「ar」
に変わる。

　さらに F9 を押す。全角のアルファベット「ＡＲ」に変わる。Enter を押して
確定する。

②確定後，Enter を押して改行する。

○ 入力モードの変更

英文のみを入力するのであれば，入力モードを変更したほうがよい。

半角/全角 を押し，日本語入力をオフにするか，入力インジケーターを右クリックして[半角英数(F)]に入力モードを変更する。ほかの入力モードへの変更もここから行える。

!注意

IME には学習機能があり，最後に変換した候補を次回の変換時に最初に表示する。そのため，右記のような順に表示されるとは限らず，最初から目的とする候補が表示されることもある。

③ D A N C E とキーを押す。画面には「だんせ」と表示される。F10 を 3 回押すと半角アルファベット「Dance」に変わる。Enter を押して確定する。

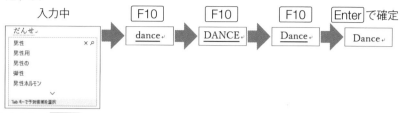

④確定後，Enter を押し，改行する。

＋α プラスアルファ　ファンクションキーを使った文字変換

ローマ字入力の状態で，文章を入力しているときに，表示したい文字の種類が下記に該当する場合は，キーボード最上段にあるファンクションキーを利用すると便利である。

キー	F6	F7	F8	F9	F10
文字種	全角ひらがな	全角カタカナ	半角カタカナ	全角アルファベット	半角アルファベット
1 度押す	あおうめ	アオウメ	ｱｵｳﾒ	ａｏｕｍｅ	aoume
2 度押す	アおうめ	アオウめ	ｱｵｳめ	ＡＯＵＭＥ	AOUME
3 度押す	アオうめ	アオうめ	ｱｵうめ	Ａｏｕｍｅ	Aoume

■ 4 ▶ 漢字変換

① K A S O U T A I K A I とキーを押す。入力途中で次々と予測候補が表示される。すべての文字を入力後，スペース を押す。ほかの漢字が表示されたら「仮装」に変換されるまで スペース を押す。目的の漢字に変換されたら，Enter を押して確定する。

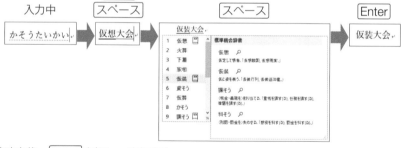

②確定後，Enter を押し，改行する。

＋α プラスアルファ　別の文字も変換する場合

後半の「たいかい」も変換する必要がある場合は Enter ではなく，→ を押して，次の区切りへ移動する。目的の漢字になるまで スペース を押し，Enter で確定する。

仮装退会
1　大会
2　大海
3　退会

○ 上書き保存

一度保存した文書を
同じ名前で保存する
場合は[上書き保存]
を選ぶ。
ダイアログボックス
は表示されずに保存
が完了する。
保存は，クイックア
クセスツールバーに
ある[上書き保存]の
ボタンをクリックし
てもよい。

なお，作成した文書
を初めて保存すると
きにこのボタンを押
すと，[名前を付け
て保存]の画面に切
り替わる。

5　ファイルの保存

　作成した文書はパソコンの電源を切ると消えてしまう。何度でも利用できるよう
に作成した文書を保存しよう。

①[ファイル]タブをクリックすると，画面が切り替わるので，[名前を付けて保存]
　をクリックする。

②画面が切り替わり，保存場所が選択できるようになる。ここでは ▭ (参照)をク
　リックすると，[名前を付けて保存]のダイアログボックスが表示される。ここで
　は[PC]-[ドキュメント]をクリックする。

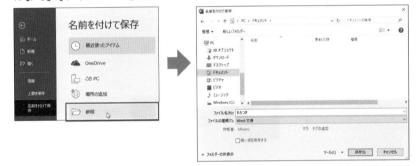

③[ファイル名(N)]に表示されている文字を消し，新しいファイル名「文化祭企画」
　を入力し，[　保存(S)　]をクリックする。保存が終了すると，タイトルバーは「文
　書1」から「文化祭企画」に表示が変わる。

ファイル名(N):　文化祭企画

6　ファイルを開く

　保存した文書を開いてみよう。

【Word 起動時】

　Wordのスタート画面が表示される。[最近使ったアイテム]に使用するファイル
名が表示されている場合は，これをクリックするとファイルが開く。

1　Wordの基本操作　● **23**

【最近使ったアイテムにファイル名が表示されていない場合】
①[**開く**]をクリックすると，[**開く**]の画面に切り替わる。[**参照**]をクリックし，保存場所を指定する。今回は[**PC**]–[**ドキュメント**]を指定する。

②[**ファイルを開く**]のダイアログボックスが表示される。「文化祭企画」を選択し，
| 開く(O) | をクリックする。ファイルが開き，文書が表示される。

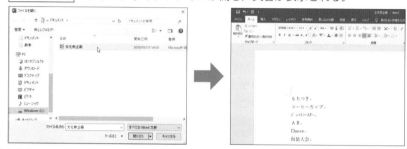

【文書を開いているときに，さらにほかの文書を開く場合】
　[**ファイル**]タブをクリックすると，画面が切り替わる。[**開く**]–[**参照**]をクリックし，ファイルが保存されている場所を指定して，開きたいファイルを選ぶ。

類題　1　文字を追加し，上書き保存してみよう　　　　　ファイル名：文化祭企画

　「文化祭企画」を開き，次の文字を追加して，上書き保存をしよう。

> もちつき　やきいも　かごかき　もぐらたたき　めんこ　かるた　わなげ　なぞなぞ
> コーヒーカップ　プラネタリウム　トリックアート　アーチ　アスレチック　パロディ
> ジェットコースター　ファッションショー　スタンプラリー　ペットボトルロケット　ボディパーカッション　タンブリング　ボーリング
> AR（拡張現実）　　PV（プロモーションビデオ）　　PM（プロジェクションマッピング）
> Dance　MOVIE　Flashmob　MUSICAL　Opera　QUIZ　Illumination　POSTER
> 仮装大会　巨大迷路　忍者屋敷　体力測定　大喜利　古本市　大道芸　自転車発電

類題　2　新規文書を用意し，文字を入力してみよう　　　　ファイル名：食品販売候補

　白紙の文書を表示し，次の文字を入力してみよう。
　入力後，「食品販売候補」というファイル名で保存をしよう。

> おでん　うどん　そば　たこやき　わらびもち　ほうとう　とうもろこし　あんずあめ
> タコス　ワッフル　クレープ　ドーナツ　ホットドッグ　フライドポテト　チョコバナナ
> ポップコーン　カレーライス　ハンバーガー　フランクフルト　アイスクリーム　スムージー　サンドイッチ　パウンドケーキ　チャーハン
> CAKE　SCORN　Jelly　YOGURT　Candy　MACARON
> TEA　COFFEE　PIZZA　Meatball　Cookies　Pudding　Chocolate　SAMOSA　milk
> 豚汁　春巻　餃子　唐揚げ　焼き鳥　味噌田楽　駄菓子　最中　大福　金平糖　親子丼

7 ▶ 記号の入力

【キーボードから入力】

　キーボード上にある記号は，そのまま入力できる。「&」などは，[Shift]を押しながら打鍵すればよい。

【記号の読みで入力】

　♪(おんぷ)など，記号の読みがわかる場合は，その読みを入力する。

　[スペース]を押すと，変換候補の中に表示されるので，これを選択する。

【記号の読み方がわからないとき】

(その1)[K] [I] [G] [O] [U] 「きごう」と入力して[スペース]を押し，変換候補の中から記号を選択する。

(その2)[挿入]−[記号と特殊文字]から記号を選択する。

8 ▶ IME パッドの利用

　IME パッドは文字を入力するためのツールである。読み方のわからない漢字などを手書きや総画数などから入力することができる。

①入力インジケーターを右クリックし，表示されたメニューから[IME パッド(P)]をクリックすると，IME パッドが表示される。左にあるボタンを押すことで，入力方法を選択することができる。

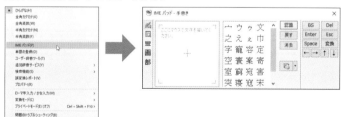

②ここでは，このまま[手書き]入力をする。マウスを使って文字を描くと変換候補が表示される。候補の中から目的の文字が見つかったら，マウスで選択し，[Enter]で確定する。

9 住所の入力

郵便番号から住所を入力することができる。郵便番号を入力(ここでは「102-0076」)後, スペース を2度押すと, 変換候補に住所が表示される。目的の候補を選択し Enter を押して確定する。

10 顔文字の入力

「かおもじ」と入力し, スペース を2度押すと, 変換候補が表示される。

スペース を押す

さらに スペース を押す

11 上付き文字と下付き文字

① 2^5(2の5乗)の「5」のように, 上に付ける文字を**上付き文字**という。

「25」と入力する。「5」をドラッグし, [**ホーム**]-$\mathbf{x}^2$(**上付き**)をクリックする。

入力 「5」をドラッグ $\mathbf{x}^2$ をクリック

② CO_2 の「2」のように, 下に付ける文字を**下付き文字**という。

「CO2」と入力する。「2」をドラッグし, [**ホーム**]-$\mathbf{x}_2$(**下付き**)をクリックする。

入力 「2」をドラッグ $\mathbf{x}_2$ をクリック

12 再変換

確定した文字も再度変換することができる。例えば, 半角カタカナ「ｼﾞｪｯﾄｺｰｽﾀｰ」を全角カタカナにする。すでに入力した文字をドラッグし, スペース を押すと, 変換候補が表示されるので, 目的の候補を選択し Enter を押して確定する。漢字の再変換も同じようにできる。

再変換する文字をドラッグ スペース を押す

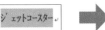

13 文字の削除

「うどん」という文字が入力されている。カーソルは「ど」と「ん」の間にあるとする。

Back Space を使う場合……カーソルの左側を削除

Delete を使う場合……カーソルの右側を削除

左欄（注意）

！注意

IME は学習機能があるため，最初から意図したとおりに変換されることもある。

○ 文字入力の基本操作

①入力した文字を漢字などに変換するときには，該当する文字が表示されるまで スペース を押す。該当する文字が表示されたら，Enter で確定する。

②該当する文字が表示されないときには，Shift を押しながら → ，または ← を使って，変換する文字の区切り（文節）を変えてから，再び該当する文字が表示されるまで スペース を押す。

本文

「今日は医者に行く。」と「今日歯医者に行く。」を入力してみよう。

①文章はいずれも「きょうはいしゃにいく。」と入力する。

きょうはいしゃにいく。

②スペース を押すと，文章全体が変換される。

今日歯医者に行く。

③文節の区切りを変更する。Shift を押しながら，→ を押し，変換する文字の区切りを変える。正しい区切りになったら，スペース を押す。

 きょうはいしゃに行く。 ➡ 今日は医者に行く。

④すべて正しく変換されたら，Enter で確定する。

今日は医者に行く。

⑤「きょうはいしゃにいく。」と入力する。IME は学習機能があるため，先ほど変換した候補が表示される。スペース を押して変換する。

きょうはいしゃにいく。
今日歯医者に行く。
今日医者に行く。
きょうはいしゃに行く。
きょうはいしゃにいく。
kyouhaishaniiku.
Tabキーで予測候補を選択

➡ 今日は医者に行く。

⑥Shift を押しながら ← ，または → を使って，変換する文字の区切りを変える。「きょう」が選択された状態になったら，スペース を押して変換する。

 きょうは医者に行く。 ➡ 今日歯医者に行く。

⑦すべて正しく変換されたら，Enter で確定する。

今日歯医者に行く。

類題 3　次の記号や漢字を入力し，保存してみよう　　ファイル名：入力練習

＆ ！ ％ ＄ ＃ ÷ ＊ ＠ ＜ ￥ 〒 ※ ○ ■ ☆ π ① Ⅴ ℡ Ω ℃ → ∞ ≠ ≧ ♪ ㈱

＼(^o^)／　　<(_ _)>　　(≧▽≦)　　(*^▽^*)　　(^.^)/~~~　　Na_2CO_3　　$y=ax^3+bx^2$

抽斗　贔屓　斡旋　恰幅　颯爽　団欒　弛緩　僅少　熨斗　無垢　垂涎　暖簾　俯瞰　薫陶　蘊蓄　払拭

類題 4　自宅の郵便番号から住所を入力してみよう　　ファイル名：住所

類題 5　次の文章を入力し，保存してみよう　　ファイル名：企画内容

①コーヒーカップ

　遊園地にあるコーヒーカップを教室に作成する。回すのは人力。制作に時間はかかるが、アトラクションは盛り上がると思う。

②３ＤＰＭ（３次元プロジェクションマッピング）

　校舎に文化祭の思い出などが投影できるとおもしろい。大がかりなのが難しければ、教室で何か投影してみる。パソコン部の協力が必要。

③Flashmob（フラッシュモブ）

　パンフレットなどにのせずに、突然みんなでダンスをする。場所は校庭。突然とはいいつつ、先生には事前に了解をもらっておく。見ている人も参加してくれるようなものにする。

2. 定型文書の作成

基本的な文書の型を知ろう

こ れ で 解 決 ！

　会社や学校では，文書を使ってさまざまな連絡や取引が行われています。これらの文書には基本的な項目や型があり，それに従って入力すれば，多くの人にとって見やすくわかりやすい文書を作成することができます。ここでは，基本的な文書の構成と，その設定方法について学習しましょう。

Keyword

基本的な文書の構成

前付け

①**文書番号**（文書の出所を明示），②**発信日付**，③**受信者名**（受取人），④**発信者名**（会社名や個人名など）を入れる。

本文

⑤**件名**　簡潔でわかりやすいものにする。

⑥**頭語**(とうご)　文書の書き出しに使用する「拝啓」(はいけい)「拝復」(はいふく)などのこと。

⑦**前文**　時候の挨拶(あいさつ)にはじまり，相手の健康を気遣う文などを入れる。

⑧**主文**　用件を書く。簡潔にわかりやすくすることを心がける。

⑨**末文**(まつぶん)　文書を締めくくる結びの挨拶を入れる。

⑩**結語**(けつご)　「敬具」(けいぐ)など，頭語と合わせて入れる。

⑪**記**　日時や場所などを箇条書きで入れる。最後の行には「以上」を入れ，右寄せする。

　なお，一般的に，会社内で使用される社内文書は頭語，前文，結語は省略する。

前付け

③受信者名

①文書番号
②発信日付
④発信者名

本文

⑤件名(標題)

⑥頭語　⑦前文(用件に入る前の挨拶)…

さて，⑧主文(用件を書く)…………

⑨末文(終わりの挨拶)……………

⑩結語

⑪記

1.
2.

以上

　A4 サイズの用紙に，次のような文書を作成しよう。なお，1 行の文字数を 30 字，1 ページの行数を 27 行に設定すること。完成後，「同窓会へのお願い」というファイル名で保存しよう。

（ファイル名「同窓会へのお願い」）

令和○年 5 月 7 日

同窓会文化委員会

　委員長　小島　晴夏　様

文化祭実行委員会

委員長　佐野　薫

文化祭参加に関する打ち合わせのお願い

拝啓　新緑の候、ますます御健勝のこととお慶び申し上げます。平素は格別のご高配を賜り、厚く御礼申し上げます。

　さて、本校では文化祭へ向けての準備が始まり、現在、各クラスおよび有志団体より企画書を回収しております。今年度も OB・OG の皆様には例年通り文化祭にご参加いただけることと思い、企画書の作成をお願いしたく存じます。

　つきましては、このことについて文化祭実行委員会より下記の要領でご説明させていただきたいと存じます。

　お忙しいところ恐縮ですが、よろしくお願い申し上げます。

敬具

記

1．日　時　　5 月 20 日（水）午後 4 時から 1 時間程度
2．場　所　　本校会議室
3．内　容　　文化祭参加企画書の作成と提出期限について
4．その他　　今後の日程について

以上

1 ページ設定

　使用する用紙のサイズに合わせて，1 行の文字数，1 ページの行数，上下左右の余白など，文書の体裁を定めることをページ設定という。

①白紙の文書を用意する。

②[レイアウト]タブをクリックし，次に[ページ設定]グループの ⬚ をクリックする。

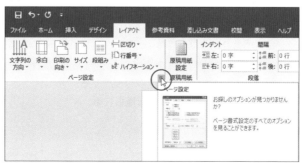

③[ページ設定]のダイアログボックスが表示される。[用紙]タブをクリックし，用
　紙サイズ❶を設定する。

④[文字数と行数]タブの[文字数と行数を指定する(H)]を選択する。次に文字数を
　「30」，行数を「27」に変更する。　OK　をクリックすると，ページ設定が変更される。

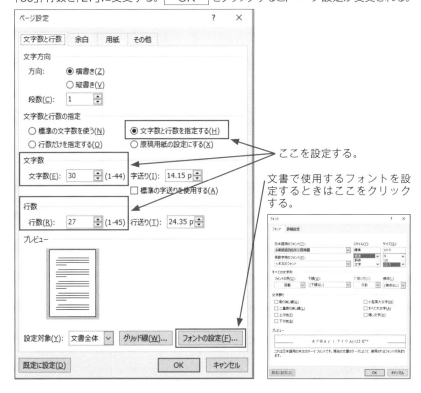

ここを設定する。

文書で使用するフォントを設
定するときはここをクリック
する。

❶ 用紙サイズ
初期設定では A4 サ
イズの用紙が指定さ
れている。この場合，
用紙サイズを確認す
るだけでよい。

○ 余白タブ
余白タブをクリック
すると，上下左右の
余白が設定できるほ
か，用紙の向き（縦
置き，横置き）を指
定することができ
る。

❗注意
初期設定で使用され
ている游明朝の場合，
38 行以上の行数を指
定すると，ページ数
が増えてしまうこと
がある。

2 ▶ 文字のコピーと移動

①文字を入力し，「同窓会文化委員会」「委員長　小島　晴夏　様」の2行をドラッグ
　し選択する。

②[ホーム]-▤(コピー)をクリックする。
　クリップボードに文字が記憶される。

○ ショートカットメニュー
文字を選択後に右ク
リックすると，ショー
トカットメニューが
表示される。ここに
ある[コピー(C)]を
選択してもよい。

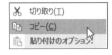

○ ショートカットキー
キーボードでも同様
の操作ができる。
範囲選択
Shift + →
　　　　　　など
コピー
Ctrl + C
貼り付け
Ctrl + V
切り取り
Ctrl + X

③改行し，カーソルを表示する。次に(**貼り付け**)をクリックすると，コピーした文字が表示される。

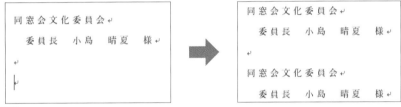

【✂️**切り取り**】
　文字を移動するとき，コピーする場合と同様に文字を選択し，✂️(**切り取り**)をクリックする。
　移動する位置にカーソルを置き，📋(**貼り付け**)をクリックする。

　または，**ドラッグ＆ドロップ**でも文字を移動することができる。範囲を選択後，マウスポインターを選択した文字の中に置き，そのまま移動したい位置までドラッグする。手を離すと文字が移動する。

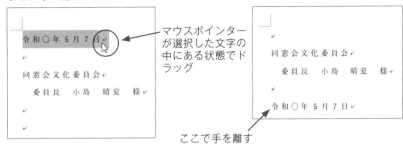

マウスポインターが選択した文字の中にある状態でドラッグ

ここで手を離す

▶リンク
文字の削除
(→ p.26)

■ 3 文字の削除と追加

①コピーした文字の先頭にカーソルを置く。不要な文字を削除後，文字を入力する。

②改行し，「文化祭参加に関する打ち合わせのお願い」と文字を入力する。

文 化 祭 実 行 委 員 会↵
　委 員 長　　佐 野　　薫↵

文 化 祭 参 加 に 関 す る 打 ち 合 わ せ の お 願 い↵

○ 入力オートフォーマット
頭語を入力すると自
動的にそれに対応す
る結語が挿入される
機能。このほか，定
型文で使用する「記」
を入力して改行する
と，「以上」が自動的
に挿入される。

■ 4 入力オートフォーマット

　改行し，カーソルを表示して「拝啓」と文字を入力し確定する。次に スペース を押し，空白を入れると自動的に「敬具」が表示される。

▶リンク

**知って得する手紙の
文例集**

(→見返し(5)~(6))

①[挿入]-[あいさつ文]-[あいさつ文の挿入(G)]をクリックすると，[あいさつ文]
のダイアログボックスが表示される。文書を発信する月を選択し，表示された候
補の中から，「新緑の候，」「ますます御健勝のこととお慶び申し上げます。」「平素
は格別のご高配を賜り、厚く御礼申し上げます。」を選択し， OK をクリック
する。

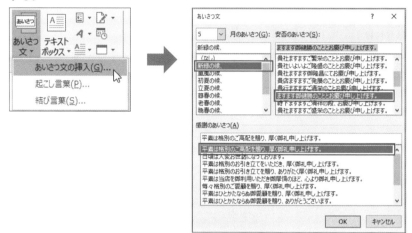

②選択したあいさつ文が挿入される。

> 文化祭参加に関する打ち合わせのお願い↵
> 拝啓　新緑の候、ますます御健勝のこととお慶び申し上げます。平
> 素は格別のご高配を賜り、厚く御礼申し上げます。↵
> ↵
> 　　　　　　　　　　　　　　　　　　　　　　　　　　敬具↵

③続けて文字を入力する。

> 文化祭参加に関する打ち合わせのお願い↵
> 拝啓　新緑の候、ますます御健勝のこととお慶び申し上げます。平
> 素は格別のご高配を賜り、厚く御礼申し上げます。↵
> 　さて、本校では文化祭へ向けての準備が始まり、現在、各クラス
> および有志団体より企画書を回収しております。今年度もOB・OG
> の皆様には例年通り文化祭にご参加いただけることと思い、企画書
> の作成をお願いしたく存じます。↵
> 　つきましては、このことについて文化祭実行委員会より下記の要
> 領でご説明させていただきたいと存じます。↵
> 　お忙しいところ恐縮ですが、よろしくお願い申し上げます。↵
> 　　　　　　　　　　　　　　　　　　　　　　　　　　敬具↵

④改行し，さらに「記」と入力し Enter を押して改行すると，自動的に「記」は中央
揃えになり，「以上」が挿入される。

6 段落番号と箇条書き

①「記」の後の文章を入力する。1字空白をあけたあと「1．日　時」の行をすべて入力し改行すると，自動的に「2．」と連番が入力される。これも**入力オートフォーマット**の機能である。この「1」「2」の番号を**段落番号**という。

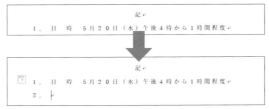

②続けて文字を入力する。同様にして，「3．内容」「4．その他」の行をすべて入力する。

③ Enter を2度押すと段落番号の挿入が終了する。

➕α プラスアルファ　箇条書きへの変更

[箇条書き]と[段落番号]は，[ホーム]タブにあるボタンをクリックすれば変更することができる。

[箇条書き][段落番号]

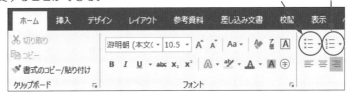

文字を選択後，[箇条書き]のボタンをクリックすると，下記のようになる。

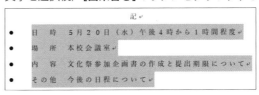

7 文字の配置（右揃え・左揃え・中央揃え）

①1行目にカーソルを置き，[ホーム]－▤(右揃え)をクリックすると，日付が右に配置される。

②同様に「文化祭実行委員会」「委員長　佐野　薫」を選択し，右揃えにする。

③「文化祭参加に関する打ち合わせのお願い」の行にカーソルを置き，[ホーム]－▤(中央揃え)をクリックする。

○ オートコレクトのオプション

改行時に表示される▤は[オートコレクトのオプション]ボタンである。
クリックすると，[段落番号を自動的に作成しない(S)]を選択することもできる。

○ 形式の変更

[箇条書き]，[段落番号]それぞれのボタンの右にある▼をクリックすると，番号の形式や箇条書きのスタイルを変更することができる。

！注意

「文化祭実行委員会」の文字は右揃え後，後ろに空白を入れる。

　ファイル名「同窓会へのお願い」を開き，フォントを変更してみよう。変更後，印刷しよう。完成後，「同窓会へのお願い(完成)」というファイル名で保存しよう。　（ファイル名「同窓会へのお願い(完成)」）

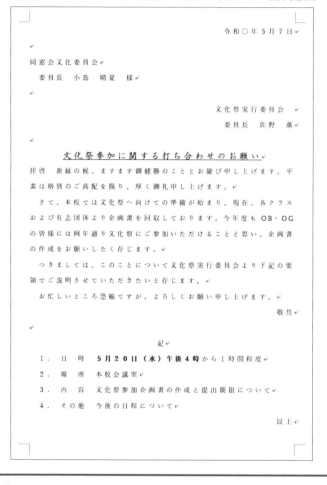

1　フォントの変更

①「文化祭参加に関する打ち合わせのお願い」の文字を選択する。

> 文化祭参加に関する打ち合わせのお願い↵
> 拝啓　新緑の候、ますます御健勝のこととお慶び申し上げます。平

❶ フォント
文字の書体をさす。フォントには，明朝体やゴシック体などの種類がある。

②[ホーム]－ 游明朝(本文c ▾ 10.5 ▾ （フォント）❶にある ▼ をクリックする。表示されたフォントの中から「HG 正楷書体–PRO」をクリックすると，フォントが変更される。

> 文化祭参加に関する打ち合わせのお願い↵
> 拝啓　新緑の候、ますます御健勝のこととお慶び申し上げます。平

➕α プラスアルファ　等幅フォントとプロポーショナルフォント

　すべての文字が同じ幅のフォントを**等幅フォント**，文字ごとに最適な幅に設定されているフォントを**プロポーショナルフォント**という。例えば，明朝体でも「MS 明朝」は等幅フォント，「MSP 明朝」はプロポーショナルフォントである。なお，プロポーショナルフォントは名称に「P」が含まれていることが多い。

■ 2 ▶ フォントサイズの変更

❷ フォントサイズ
文字の大きさを**フォントサイズ**といい，**ポイント**という単位で大きさを表す。1 ポイントは 1/72 インチ（約 0.353mm）である。

　「文化祭参加に関する打ち合わせのお願い」の文字を選択した状態で**[ホーム]** ― 10.5 ▾（**フォントサイズ**）❷ にある ▼ をクリックする。表示されたサイズの中から「14」をクリックすると，フォントサイズが変更される。

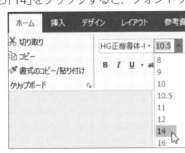

文化祭参加に関する打ち合わせのお願い↵

拝啓　新緑の候、ますます御健勝のこととお慶び申し上げます。平

■ 3 ▶ 文字飾り

○ 下線の種類と色
[下線] にある ▼ をクリックすると，下線の種類や色を変更することができる。

① 「文化祭参加に関する打ち合わせのお願い」の文字を選択した状態で**[ホーム]** ― U（**下線**）をクリックすると，下線付きの文字となる。

文化祭参加に関する打ち合わせのお願い↵

拝啓　新緑の候、ますます御健勝のこととお慶び申し上げます。平

② 「5 月 20 日（水）午後 4 時」の文字を選択し，**[ホーム]** ― B（**太字**）をクリックすると，文字が太字になる。

記↵

1．日　時　5 月 2 0 日（水）午後 4 時 から

記↵

1．日　時　**5 月 2 0 日（水）午後 4 時** から

【その他の文字飾り】

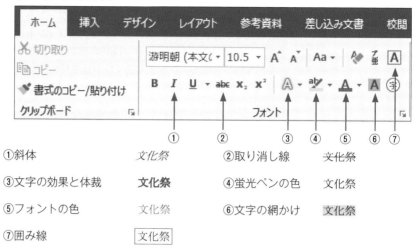

①斜体	文化祭	②取り消し線	文化祭
③文字の効果と体裁	**文化祭**	④蛍光ペンの色	文化祭
⑤フォントの色	文化祭	⑥文字の網かけ	文化祭
⑦囲み線	文化祭		

【文字飾りの解除】
　設定した飾りを解除する場合は，同じボタンをクリックするか，または[**ホーム**]－[**スタイル**]にある⬇をクリックし，表示された一覧の中から[**書式のクリア(C)**]をクリックする。

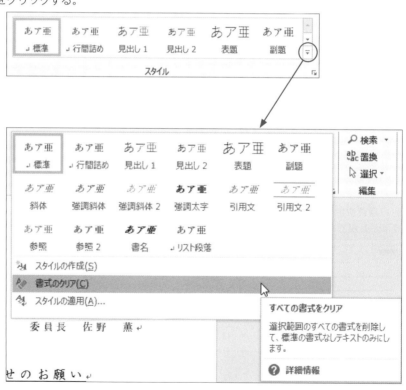

[**ファイル**]–[**印刷**]をクリックすると，入力した文書が，印刷した場合にどのような状態になるか右側に表示される。これを**印刷プレビュー**という。

🖶 (**印刷**)をクリックすると，印刷が開始される。　印刷部数や余白の調整が必要なときは，設定を変更する。

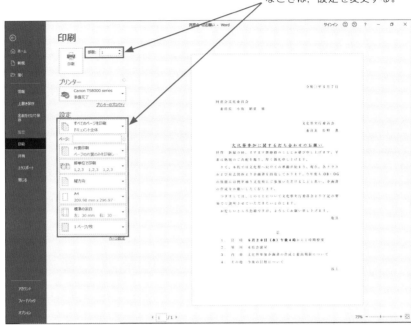

類題 6　食品衛生講習会のお知らせを作成してみよう　　　　ファイル名：食品衛生講習会

A4 用紙，1 行の文字数を 30 字，1 ページの行数を 18 行にページを設定し，右のような案内状を作成して保存しよう。

なお，余白はすべて 30mm にしよう。

令和○年 6 月 1 日

食品団体参加者各位

文化祭実行委員長

食品衛生講習会のお知らせ

文化祭で食品を扱う団体を対象に食品衛生講習会を実施します。文化祭当日に調理室に入室する予定の人は必ず受講してください。

なお，講習会を受講しなかった人は，文化祭期間中に調理室へ入室することができません。欠席者が多い団体は参加企画の内容を変更しなければならないこともあるので注意してください。

記

1．日　時　6 月 20 日（木）午後 3 時 30 分

2．場　所　調理室

3．持ち物　筆記用具

以上

類題 7　文化祭の案内状を作成してみよう　　ファイル名：文化祭案内状

A4 用紙，1 行の文字数を 32 字，1 ページの行数を 20 行にページを設定し，下記のような案内状を作成して保存しよう。なお，余白はすべて 30mm にしよう。

令和△年１０月１７日

近隣にお住まいの皆様へ

□□高校文化祭実行委員会

委員長　○○○○○○

<u>第６３回文化祭のご案内</u>

秋晴れの候、皆様には益々ご健勝のこととお慶び申し上げます。日頃は私たち□□生を温かく見守ってくださり、誠にありがとうございます。

さて、下記の通り□□高校文化祭を開催いたします。生徒一人一人が今年度も文化祭を成功させるために日々頑張っております。ご多用中のこととは存じますが、ぜひご覧いただきたくご案内申し上げます。

生徒一同、皆様のご来場をお待ちしております。

記

１．日　時　令和△年１１月３日（日）９：３０～１５：００

２．場　所　本校体育館および教室

３．その他　駐車場がありませんので車での来校はご遠慮ください。

以上

①△には現在の年，□□には自分が所属する学校名，○○○○○○には自分の名前をそれぞれ入力する。
②「第 63 回文化祭のご案内」は，フォントを「HG 教科書体」，フォントサイズを「20」にし，下線を引く。

　A4 用紙，1 行の文字数を 47 字，1 ページの行数を 46 行，日本語用および英数字用のフォントを MS 明朝にページを設定し，下記のような連絡文書を作成して保存しよう。なお，余白はすべて 20mm にしよう。（フォントの設定は p.30 を参照）

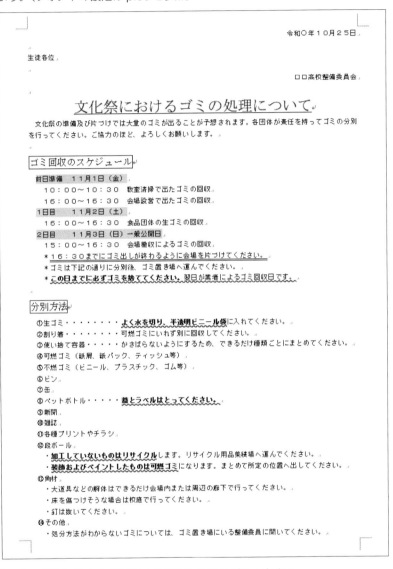

①○には現在の年，□□には自分が所属する学校名をそれぞれ入力する。

②「文化祭におけるゴミの処理について」はフォントサイズを「22」にし，下線を引く。

③ 11 行目「ゴミ回収のスケジュール」，23 行目「分別方法」は，フォントサイズを「14」にし，囲み線を設定する。

④ 12 行目「前日準備　11 月 1 日（金）」，15 行目「1 日目　11 月 2 日（土）」，17 行目「2 日目　11 月 3 日（日）一般公開日」は，網かけを設定する。

⑤太字を設定する。

　21 行目「この日までに必ずゴミを捨ててください。」　24 行目「よく水を切り，半透明ビニール袋」

　31 行目「蓋とラベルはとってください。」　　　　　　36 行目「加工していないものはリサイクル」

　37 行目「装飾およびペイントしたものは可燃ゴミ」

⑥下線は上記を参考に設定すること。

3. 視覚的な情報伝達

チラシを作ってみよう

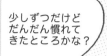

これで解決！

Wordは文字だけではなく，写真やイラスト，図形なども挿入することができます。これらを使えば，視覚に訴えるチラシやポスターを簡単に作成することができます。さまざまな機能を使って，チラシやポスターをデザインしてみましょう。

Keyword

ハンドル

画像やテキストボックスなどを挿入すると，その周囲に表示される○のこと。ハンドルが表示されている画像やテキストボックスは操作可能な状態であることを示し，サイズ変更や回転，位置の移動などができる。

・例題5　画像を挿入してチラシを作ってみよう

次のような部員募集のチラシを作成してみよう。
完成後，「落語研究会」というファイル名で保存しよう。

（ファイル名「落語研究会」）

①白紙の文書を用意し，A4 用紙，余白（上 35mm　下 30mm　左右 16mm），印刷の向き：縦，文字方向：縦書き，1 ページの行数：15 行に設定する。

②次のように文字を入力し，フォントを「HG 丸ゴシック M-PRO」に変更する。

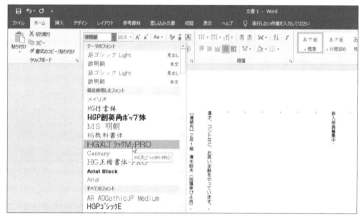

○ 表示サイズの変更
チラシのように，全体のバランスを見ながら作成する場合には，画面下にあるズームスライダーを操作し，表示倍率を変更するとよい。

ズームスライダー

③「新入部員募集中」のフォントサイズを「60」に変更する。文字をドラッグし，フォントサイズのボックスに数値を入力して Enter を押す。

④「漫才……」「【連絡先】……」の行はフォントサイズを「28」に変更する。

■ 2 ▶ テキストボックスの挿入

❶ テキストボックス
文字を入力すること
ができる枠である。
このテキストボック
スを利用すれば，任
意の位置に自由に文
字を配置することが
できる。

①[挿入]−[テキストボックス]❶−[縦書きテキストボックスの描画(V)]をクリック
する。

！注意
フォントサイズは，
数値を直接「130」と
入力して変更する。

130 ▾

②マウスポインターの形が＋になる。ドラッグして文字を入力する枠を描く。描画
後，「落語研究会」と枠内に文字を入力する。入力後，フォントを「HGP 創英角ポッ
プ体」，フォントサイズを「130」に変更する。

■ 3 ▶ テキストボックスのサイズ変更と移動

①すべての文字が見えるように，テキストボックスのサイズを変更する。テキスト
ボックスの周囲にある○を**ハンドル**という。ハンドルの上にマウスポインターを
置き，ドラッグして文字が表示されるまで枠を大きくする。

②枠の上にマウスポインターを置くと，マウスポインターの形が 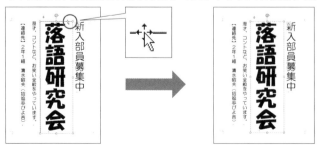 になる。この
状態でドラッグすると，テキストボックスの位置を移動することができる。用紙
の中央に文字が配置されるようにテキストボックスを移動する。

4 ▶ 図形の塗りつぶしと枠線の変更

❷ 図形の書式
図形の書式は，テキストボックスや図形が選択されていないと表示されない。
なお，更新プログラムの適用状況により，タブの名称が異なることがある。

❸ 図形の塗りつぶし
テキストボックスの扱いは，図形と同じになる。
任意の色で塗りつぶしたり，グラデーションをかけることもできる。

❹ 図形の枠線
同様にテキストボックスの扱いは図形と同じになるため，線の太さや色などを個別に設定することができる。

❺ ページ罫線
用紙の縁を絵柄などで囲むことができる。黒のみの絵柄は，色を変更することができる。

①テキストボックスを選択した状態で，[**図形の書式**]❷-[**図形の塗りつぶし**]❸の[**塗りつぶしなし(N)**]をクリックすると，枠の中が透けた状態に変更される。

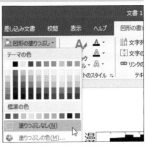

②同じくテキストボックスを選択した状態で，[**図形の書式**]-[**図形の枠線**]❹の[**線なし(N)**]をクリックする。テキストボックス以外をクリックすると，テキストボックスの枠線が表示されずに文字のみが表示される。

5 ▶ ページ罫線

①[**デザイン**]-[**ページ罫線**]❺をクリックする。

②[**線種とページ罫線と網かけの設定**]のダイアログボックスが表示される。[**ページ罫線**]タブが前面に表示されていることを確認し，絵柄を選択する。ここでは下記の設定を行う。
　　 OK をクリックすると，ページ罫線が設定される。

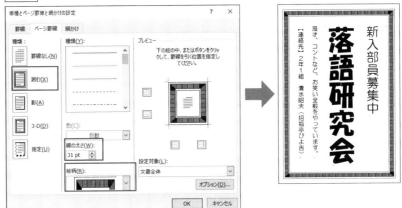

！注意

画像データは，実教
出版の Web サイト
からダウンロードし
て使用する。

■ 6 画像の挿入

[挿入]-[画像]をクリックすると，[図の挿入]のダイアログボックスが表示され
る。ファイル名「落語」（画像データ）を選択し，挿入(S)をクリックすると，任
意の位置に画像が挿入される。

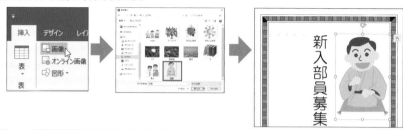

■ 7 画像サイズの変更と文字列の折り返し

❶
レイアウトオプショ
ンボタンが表示され
ないときは，[図の
形式]-[文字列の折
り返し]から操作す
る。

画像を選択し，ハンドルを表示する。ハンドル上にマウスポインターを置き，ド
ラッグして縮小する。画像の近くには[レイアウトオプション]ボタンが表示❶され
ているのでボタンをクリックし，[文字列の折り返し]を[四角形]に変更する。画像
の位置を移動し配置する。最後に，全体のバランスを整える。

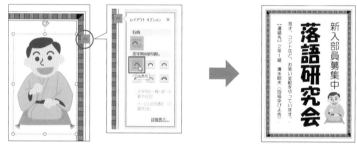

文字列の折り返しは，文字を画像の周囲にどのように配置するかを指定するもの
である。画像を挿入すると，文字列の折り返しが「行内」になっている。自由に動か
すには，「四角形」や「前面」に変更する必要がある。各オプションは，次のようになっ
ている。

- 行内：文字と同じように行の中を移動する。
- 四角形：画像の四角い枠に合わせて，文字が回りこむ。
- 狭く：画像の縁に合わせて文字が回りこむ。
- 内部：画像内の透明な箇所にも文字が流れこんで表示される。
- 上下：画像の上下に文字が回りこむ。
- 背面：文字の背面に画像が配置され，文字は回りこまない。
- 前面：文字の前に画像が配置され，文字は回りこまない。

・例題 6　図形や画像を使ってポスターを作ってみよう

A4 サイズの白紙の文書を用意し，次のような文化祭用のポスターを作成
してみよう。
完成後，「ポスター」というファイル名で保存しよう。

（ファイル名「ポスター」）

※なお，ページの色を印刷するには，[ファイル]タブの[オプション]をク
リックし，[Word のオプション]のダイアログボックスを表示して，[表示]
-[印刷オプション]の[背景の色とイメージを印刷する(B)]にチェックを
入れる必要がある。

❷ テーマ

配色やフォント，図形の効果などを設定したデザインパターンである。テーマを設定すると，文書全体を統一したイメージで作成することができる。

テーマを選択しても図形などが描画されていなければ，画面上の変化はない。

⚠ 注意

この例題は，ページ設定を行わずに作成している。印刷する場合には，使用しているプリンターに合わせて余白を設定すること。

なお，余白の数値は，なるべく小さいほうがよい。

⚠ 注意

更新プログラムの適用状況により，タブの名称が異なることがある。

○ 図形の順序

描画した図形が重なったときは，後から描いたものが上に配置される。

後から描いたものを下に配置したいときは，その図形を選択して右クリックし，**[最背面へ移動(K)]** を選択し，順序を入れ替える。

---

1 ▶ テーマの設定

[デザイン]−[テーマ]❷をクリックし，表示された一覧から[イオン]を選択する。

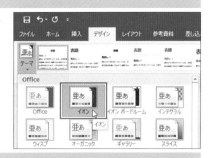

2 ▶ ページの色

[デザイン]−[ページの色]をクリックし，[ゴールド、アクセント3、白＋基本色80%]を選択すると，ページの色が変更される。

3 ▶ 図形の描画と色の変更

①[挿入]−[図形]をクリックし，[四角形]の中にある[正方形／長方形]を選択すると，マウスポインターの形が＋になるので，ドラッグして長方形を描く。

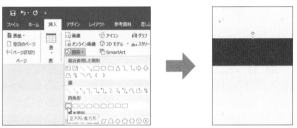

②[図形の書式]−[図形の塗りつぶし]をクリックし，[白、背景1]を選択する。次に[図形の書式]−[図形の枠線]をクリックし，[白、背景1]を選択する。

③[挿入]−[図形]をクリックし，[星とリボン]の中にある[爆発：14pt]を選択し，ドラッグして図形を描く。

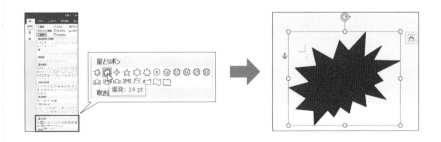

4 ▶ 図形のスタイルの変更

爆発の図形を選択した状態で，[図形の書式]–[図形のスタイル]にある▽をクリックする。表示された一覧の中から[光沢－濃い赤，アクセント1]をクリックする。

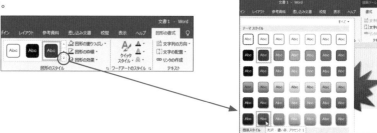

！注意
[テキストの追加(X)]
は，文字入力後は[テキストの編集(X)]に
見出しが変わる。

5 ▶ 図形に文字を入力

爆発の図形を選択した状態で，右クリックする。表示されたメニューから[テキストの追加(X)]をクリックすると，図形の中にカーソルが表示される。「爆笑」と文字を入力し，フォントを「HGP 創英角ポップ体」，フォントサイズを「72」にする。文字がすべて見えないときには，図形のサイズを拡大する。

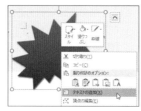

6 ▶ 図形の回転

爆発の図形を選択した状態で，図形上部にある◎にマウスポインターを合わせる。左に回転するようにドラッグすると，図形が回転する。

7 ▶ 図形の効果

❶ 図形の効果
図形には影や反射などの視覚効果を付けることができる。

！注意
更新プログラムの適用状況により，効果の名称が異なることがある。

長方形を選択した状態で，[図形の書式]–[図形の効果]❶をクリックする。[光彩]－[光彩の種類]の中から，[光彩：18pt；濃い赤，アクセントカラー1]をクリックすると，長方形に光彩の効果が設定される。

8 ワードアート

①[挿入]–[A] (ワードアート❷の挿入)をクリックする。表示された中から，[塗りつぶし：濃い赤、アクセントカラー1；影]をクリックすると，「ここに文字を入力」という枠が表示される。枠内の不要な文字を削除し，「お笑いライブ」と入力してフォントサイズを「80」，太字に設定する。設定後，枠を長方形上に移動する。

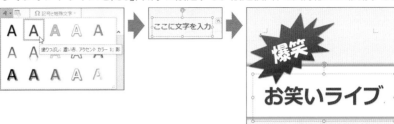

❷ ワードアート
デザインされた飾り文字を簡単に作成する機能である。

②[挿入]–[画像]からファイル名「漫才」，「大喜利」（画像データ）を挿入し，配置する。
画像は文字列の折り返し「前面」にして移動する（p.44参照）

○ オブジェクトの回転
画像は，[図ツール]–[書式]にある[A▾] (オブジェクトの回転)をクリックすると，左右や上下に反転させたりすることができる。

③円形吹き出しを描画し，[図形のスタイル]から[枠線のみ－濃い赤、アクセント1]を選択する。吹き出しの中に「漫才やコントも楽しめます。」と入力し，フォントを「HG丸ゴシックM-PRO」，フォントサイズを「22」に設定する。さらに黄色のハンドルをドラッグし，吹き出しの方向を口元へ向ける。

④テキストボックスを作成し，文字をレイアウトする。すべて[図形の塗りつぶし]，[図形の枠線]は「なし」，フォントは「HG丸ゴシックM-PRO」とする。「抱腹絶倒！腹筋崩壊！呵呵大笑！」「落語研究会」のフォントサイズは「36」，それ以外は「26」とする。最後に，全体のバランスを見て，各オブジェクトの位置を調整する。

❸ オンライン画像
オンライン画像を使用すると，Web上にある多数の写真やイラストなどの画像を検索することができる。なお，使用にあたっては，著作権や第三者の所有権などを確認する必要がある。利用規約などがある場合には必ず目を通し，その範囲内で使用すること。

＋α プラスアルファ　オンライン画像
　[挿入]–[🖼] (オンライン画像)❸をクリックすると，[オンライン画像]のウィンドウが表示される。
　キーワードを入力し，[Enter]を押すと，検索結果が表示される。画像を選択し，[挿入]をクリックすると画像が挿入される。

A4 用紙，余白はすべて 20mm，行数を 40 行に設定し，下記のようなチラシを作成してみよう（文字数は指定しなくてよい）。

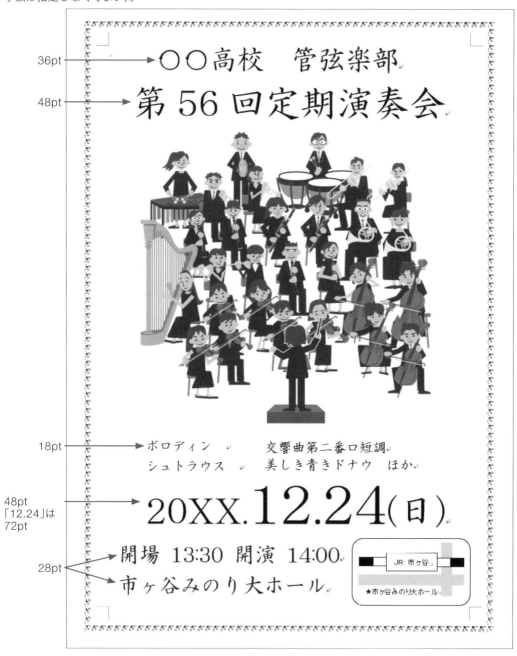

36pt
48pt
18pt
48pt
「12.24」は72pt
28pt

①文字は，すべてテキストボックスに入力して配置する。フォントは「HG 正楷書体-PRO」。
　フォントサイズは上記を参考にすること。
②ファイル名「オーケストラ」（画像データ）を挿入し，中央になるように配置する。
③地図は図形とテキストボックスを組み合わせて作成する。文字は「MSP ゴシック」にする。
　フォントサイズは「JR 市ヶ谷」が「10.5」，「★市ヶ谷みのり大ホール」が「9」である。
④ページ罫線の線の太さは「10pt」である。

A4 用紙，余白は上 35mm，左右下 30mm，行数を 36 行に設定し，下記のようなポスターを作成してみよう（文字数は指定しなくてよい）。

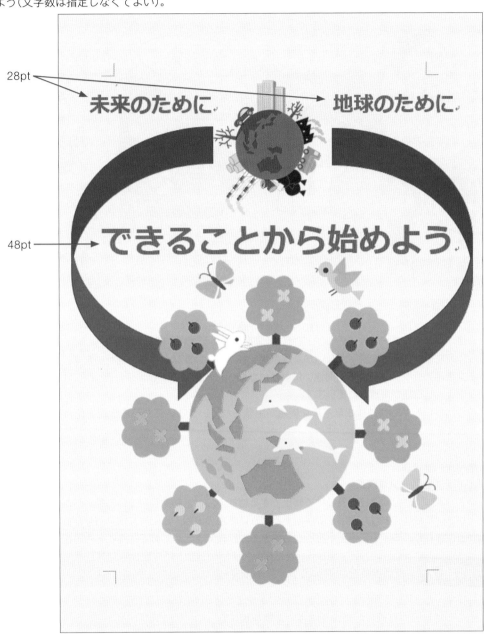

① ページの色を[ゴールド、アクセント 4、白＋基本色 80%]に設定する。
② 文字は，すべてテキストボックスに入力して配置する。フォントを「メイリオ」，フォントの色を「赤」，太字に設定する。
　 フォントサイズは上記を参考にすること。
③ [挿入]-[図形]から[ブロック矢印]-[矢印：左カーブ]を描画し，その後コピーして左右反転させる。
　 図形のスタイルは[塗りつぶし、青、アクセント 1]に設定する。
④ ファイル名「きたない地球」，「きれいな地球」(画像データ)を挿入し，矢印と矢印の間に配置する。

4 情報整理と伝達

志望理由書を作ってみよう

これで解決！

　志望理由書やレポートの作成など，自分の考えを伝えるときには情報を整理し組み立てることが必要です。そして完成後は，誤字や脱字がないか，論点がずれていないかなど見直しを行います。しかし，自分で作成した文書はチェックしていても間違いに気が付かないこともあるでしょう。Word にはそのようなときに便利なチェック機能が用意されています。

　このほかにも Word にはさまざまな機能が用意されています。これらの機能を使って，情報をわかりやすく伝えましょう。

Keyword

スペルチェックと文章校正

　誤字や脱字などの間違いを見つけて修正できる機能のこと。初期設定では自動スペルチェックと自動文章校正がオンになっており，誤字や脱字があるときは赤色の波線，表記や文法に誤りがあるときは青や緑の波線が表示される。表示中に修正することもできるが，後でまとめて修正することも可能である。

例題 7　校正機能を利用しよう

　ファイル名「志望理由書」（ひな形データ）を開くか，もしくは自分が作成した文書を開き，文章を校正してみよう。

（ファイル名「志望理由書（校正後）」）

> 　私は将来の目標は起業し会社経営をすることです。その夢を実現させるため貴学経営情報学部を志望いたしました。
> 　私が貴学経営情報学部を志望した理由は３つあります。
> 　１つは多種多様な授業科目が数多く用意されていることです。あらゆる面から企業経営について学ぶことができ，また現代のビジネスでは欠かせない IT 技術についても同時に学ぶことができるのは素晴らしいと思いました。。
> 　２つめは，グループワークによる授業がが数多くあることです。模擬授業に参加させていただき，さまざまな価値観の人々と関わることで視野が広がり，コミュニケーション能力も高めることもできると実感しました。。
> 　３つめは，国際交流や外国語教育にも力をいれていることがあげられます。私は将来，日本だけでなく世界にもビジネスを視野を広げていきたいと考えています。グローバルな視点からマネジメントへの理解を深められることが魅力でした。。
> 　以上の理由から，ぜひ貴学でマネジメントや IT 技術について学びたく志望いたします。。

○ 志望理由書の作成
大学の推薦入試などでは，志望理由書を提出することが多い。

書き方は自由だが，基本的には次のように構成するとわかりやすい。

①最初に目標を掲げる
「将来○○になりたい」「○○を学びたい」

②その理由を伝える
なぜ，その目標を達成したいのか，自分の体験なども入れながら説明するとよい。

③自分の意思を伝える
目標を達成するにはこの大学で学ぶことが必要だということを熱く伝える。

④まとめを書く
「以上の理由から貴学○○学部を志望します」など，最後にまとめを書く。

1 スペルチェックと文章校正

【修正方法１】

　初期設定では，自動スペルチェックと自動文章校正がオンになっている。赤や青などの波線が表示されたら，その場で確認し修正する。

【修正方法２】

　文書完成後にまとめてスペルチェックと自動文章校正をすることもできる。

①[校閲]－ ✓ABC（スペルチェックと文章校正）をクリックする。[文章校正]の作業ウィンドウが開く。入力ミスを指摘され，修正候補の一覧が表示されるので該当するものをクリックする。波線が消え，文章が修正される。

②次の修正候補が表示される。必要に応じて文章を直接修正する。再び文章校正をするときは 再開(S) をクリックする。すべての校正が終わると完了の画面が表示されるので， OK をクリックする。

2 文字カウント

　レポートなど文字数に制限がある場合には，入力した文字数を確認するとよい。画面下のステータスバーにはページ数と文字数が表示されており，ここで確認することができる。

　また，[校閲]－ ABC123（文字カウント）をクリックすると，段落数や行数など詳細な情報を確認することができる。

例題 8 表を作成後，ヘッダーなどの設定をしてみよう

ファイル名「リテラシー教育の有無」（ひな形データ）を開き，2ページ目に右のような表を作成しよう。

また，表作成後，ヘッダーとページ番号を設定しよう。ヘッダーには「インターネットの普及と情報モラルの重要性について」と入力しよう。

（ファイル名「リテラシー教育の有無（完成）」）

（表2−1）リテラシー教育の有無

国　　　　名	全体		10−20代	
	ある	ない	ある	ない
日　　　　本	22.2	77.8	36.8	63.2
米　　　　国	40.6	59.4	61.0	39.0
英　　　　国	35.4	64.6	57.8	42.3
フ　ラ　ン　ス	36.4	63.6	49.0	51.0
韓　　　　国	28.4	71.6	29.9	70.1
シ ン ガ ポ ー ル	45.3	54.7	59.3	40.7

❶ セル
罫線で区切られている表の中は，それぞれ独立した編集領域になっている。この区切られた各枠をセルという。
セル内で Enter を押すと，セル内での改行となる。ほかのセルへ移動するときは Tab または → を押すか，マウスでセル内をクリックする。

！注意
[レイアウト]は，カーソルが表内にあるときに表示される。
なお，更新プログラムの適用状況により，タブの名称が異なることがある。

！注意
この例題では，セルの分割を行う箇所はない。

1 表の作成

[挿入]−▦(表)をクリックし，6行×5列になるようにドラッグする。クリックすると表が挿入される。この表の各枠を**セル❶**という。各セルに文字を入力する。

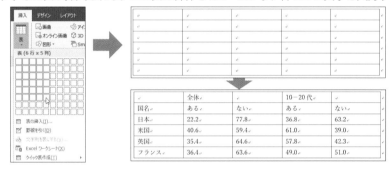

2 セルの結合

①結合するセルをドラッグして選択し，[レイアウト]−▦(セルの結合)をクリックすると，セルが結合する。

全体	
ある	ない

全体	
ある	ない

②同様の手順で「国名」を上のセルと，「10−20代」を右のセルとそれぞれ結合する。

国名	全体		10−20代	
	ある	ない	ある	ない

3 セルの分割

①セルを分割する必要があるときは，そのセル内にマウスポインターを置く。
[レイアウト]−▦(セルの分割)をクリックする。

②[セルの分割]のダイアログボックスが表示される。列数，行数を指定し， OK をクリックすると，セルが分割される。

■ 4 ▶ セル内の文字配置

①配置を変える文字をドラッグし，[**レイアウト**]から文字の配置を選択する。ここでは，▤(**中央揃え**)をクリックする。

全体↲		10－20代↲	
ある↲	ない↲	ある↲	ない↲

②文字がセル内で中央に配置される。

全体↲		10－20代↲	
ある↲	ない↲	ある↲	ない↲

③数値は▤(**中央揃え(右)**)，「国名」は▤(**両端揃え(下)**)，「日本」～「フランス」は▤(**両端揃え(中央)**)をクリックして文字を配置する。

国名↲	全体↲		10－20代↲	
	ある↲	ない↲	ある↲	ない↲
日本↲	22.2↲	77.8↲	36.8↲	63.2↲
米国↲	40.6↲	59.4↲	61.0↲	39.0↲
英国↲	35.4↲	64.6↲	57.8↲	42.3↲
フランス↲	36.4↲	63.6↲	49.0↲	51.0↲

■ 5 ▶ 行の挿入

○ 列の挿入
[**レイアウト**]から[**左に列を挿入**]や[**右に列を挿入**]をクリックする。

①最後の行の枠外側にカーソルを置き，Enterを押す。

フランス↲	36.4↲	63.6↲	49.0↲	51.0↲

②同じ手順でさらに1行追加し，次のように文字を入力する。

フランス↲	36.4↲	63.6↲	49.0↲	51.0↲
韓国↲	28.4↲	71.6↲	29.9↲	70.1↲
シンガポール↲	45.3↲	54.7↲	59.3↲	40.7↲

➕α **プラスアルファ** ⊕ボタンを使った挿入

左端や上端の線上にカーソルを近づけると ⊕ が表示される。これをクリックしても，行や列の挿入ができる。

フ ラ ン ス↲	36.4↲	63.6↲	49.0↲	51.0↲

■ 6 ▶ 行や列の削除

不要な行や列にカーソルを置き，[**レイアウト**]－▨(**削除**)から[**行の削除(R)**]や[**列の削除(C)**]をクリックする。

■ 7 ▶ セル内の均等割り付け

❷ 均等割り付け
指定した範囲内に文字を割り付ける機能をさす。この機能を使うと，文字数の違う文字をきれいに並べることができる。
セル内の文字を均等割り付けするときは，先に文字をドラッグしてから▤(**均等割り付け**)をクリックする。

①「国名」のセルにカーソルを置く。[**ホーム**]－▤(**均等割り付け**)❷をクリックする。セル内で文字が均等に割り付けられる。
②同様の手順で1列目の各セルを均等割り付けする。

2 章

○ 手動調整

任意の列幅や行の高さに変更したいときは，マウスポインターの形が ↔ や ↕ の状態でドラッグする。

8 列幅や行の高さの変更

列の境界線にマウスポインターを置き，マウスポインターの形が ↔ になったらダブルクリックすると，最長の文字列に合わせて列の幅が自動調整される。同様の操作ですべての列幅を調整する。

行の高さを変更する場合は，行の境界線にマウスポインターを置き，マウスポインターの形が ↕ になったら任意の幅にドラッグする。

9 線種の変更

[テーブルデザイン]-［──────▾］(ペンのスタイル)から二重線を選択するとマウスポインターの形が ✎ になるので，二重線にする箇所をドラッグする。続けて直線を選び，線の太さを「1.5pt」にし，外枠をドラッグする。

○ 罫線

表以外の箇所で罫線を使用したいときには，[ホーム]-［▦ ▾］(罫線)の ▼ をクリックする。

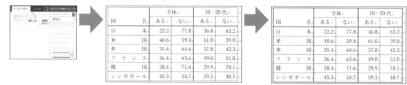

10 セルの塗りつぶし

色を塗るセルを選択し，[テーブルデザイン]-［🪣］(塗りつぶし)をクリックする。任意の色を選択すると，指定した色にセルの色が変更される。

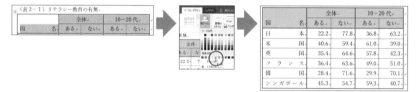

○ 罫線の終了

［ ESC ］を押す。

11 表の移動

表の左上にある ⊞ にマウスポインターを合わせドラッグする。任意の位置でマウスから手を離すと，その位置に表が移動する。

12 表のスタイル

あらかじめ用意されている表のデザインを使用することもできる。

[テーブルデザイン]-[表のスタイル]にある ▾ をクリックすると，表のスタイルが一覧表示される。その中から任意のスタイルをクリックすると設定される。

13 ヘッダーとフッター

用紙の上部余白に表示する情報を**ヘッダー**といい，下部余白に表示する情報を**フッター**という。ヘッダーやフッターには，文書名，ページ番号，日付，会社のロゴなどを入れることができる。❶

①[挿入]－▢(ヘッダー)－[ヘッダーの編集(E)]をクリックすると，ヘッダー領域が表示されるので，「インターネットの普及と情報モラルの重要性について」と入力する。

❶
直接入力するだけでなく，[**日付と時刻**]や[**ドキュメント情報**]から入力することもできる。

○ ヘッダーの削除
[**挿入**]－[**ヘッダー**]－[**ヘッダーの削除(R)**]

○ フッターの編集
[**挿入**]－[**フッター**]－[**フッターの編集(E)**]

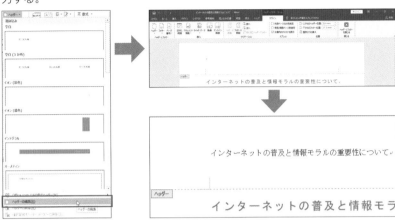

②入力後，▣(ヘッダーとフッターを閉じる)をクリックする。

14 ページ番号

[挿入]－▢(ページ番号)をクリックする。ページ番号を入れたい位置を選択する。ここでは，[**ページの下部(B)**]－[**番号のみ2**]を選択している。入力後，▣(ヘッダーとフッターを閉じる)をクリックして終了する。

15 ページ区切り

指定した位置でページを区切り，次のページに文章を送ることができる。

[挿入]－▢(ページ区切り)をクリックする。

＋α プラスアルファ 行番号の表示

[**レイアウト**]－[**行番号**]－[**連続番号(C)**]をクリックすると，行番号を表示することができる。

行番号が表示される。

A4 用紙，余白はすべて 20mm，1 行の文字数を 40 字，1 ページの行数を 38 行に設定し，下記のようなタイムテーブルを連絡する文書を作成してみよう。

令和○年 4 月 6 日

各位

○○高校生徒会

会長　　○○○○

クラブ紹介の発表順について

3 月に実施した希望調査をもとに、新入生歓迎会でのクラブ紹介の順番を調整しました。下記のとおり行いますので、発表 15 分前には体育館に集合してください。

なお、所要時間は準備から撤収までの時間です。時間厳守でお願いします。

	順番	クラブ名	タイムテーブル	所要時間
		4 月 8 日（水）		
5時間目	1	生徒会（開会のことば）	13：10〜13：15	5分
	2	生徒会（学校行事等紹介）	13：15〜13：25	10分
	3	男子バスケット	13：25〜13：30	5分
	4	女子バスケット	13：30〜13：35	5分
	5	硬式野球	13：35〜13：40	5分
	6	女子ソフトボール	13：40〜13：45	5分
	7	サッカー	13：45〜13：50	5分
	8	水泳	13：55〜14：00	5分
		休憩		
6時間目	9	管弦楽	14：10〜14：20	10分
	10	ダンス	14：20〜14：30	10分
	11	書道	14：35〜14：40	5分
	12	映画研究	14：40〜14：45	5分
	13	美術	14：45〜14：50	5分
	14	バドミントン	14：55〜15：00	5分
放課後	15	卓球	15：00〜15：05	5分
	16	陸上	15：05〜15：10	5分
	17	演劇	15：15〜15：20	5分
	18	茶道	15：20〜15：23	3分
	19	軽音楽	15：23〜15：28	5分
	20	生徒会（連絡および閉会のことば）	15：28〜15：30	2分

※発表時には身だしなみや言動に注意し、新入生の手本となるように行動してください。

①○の部分には，現在の年，自分が所属する学校名，自分の名前を入力する。
②「クラブ紹介の発表順について」は，フォントサイズを「14」にし，一重下線を引く。
③「発表 15 分前には体育館に集合」には，波線の下線を引く。
④表を作成し，上記を参考に必要な箇所は「セルの結合」や「文字列の配置」などの作業を行う。

A4 用紙，余白は上下を 12mm，左右を 25mm，1 行の文字数を 40 字，1 ページの行数を 43 行に設定し，下記のような図書委員会通信を作成してみよう。

[挿入]−[図形]
−[四角形：角を丸くする]
図形のスタイル
「塗りつぶし−青、アクセント1」
テキストボックス
「MS明朝」，太字
28pt，9pt

フォント
本文など
「HG丸ゴシックM-PRO」
ランキング表のみ
「MSP ゴシック」

画像の挿入
ファイル名「本」

ワードアート

[挿入]−[図形]
から[線]を描画後，
[図形の書式]
−[図形の枠線]
−[実線／点線]から
「一点鎖線」に変更

「はーと」と入力し
変換，16pt
表内のフォント
「HG丸ゴシックM-PRO」
14pt

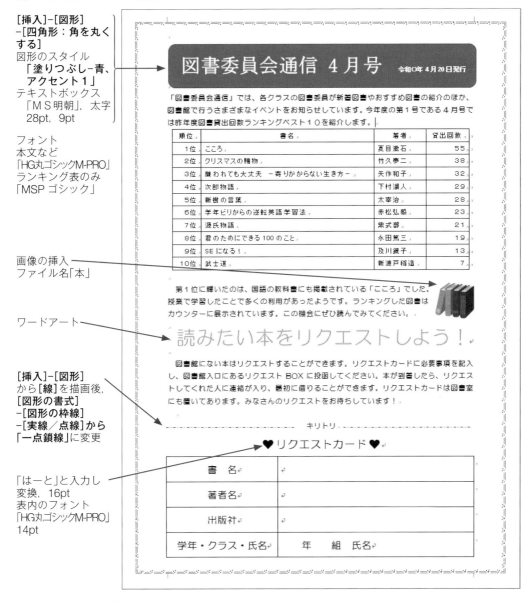

図書委員会通信 4月号　令和○年 4月20日発行

「図書委員会通信」では、各クラスの図書委員が新着図書やおすすめ図書の紹介のほか、図書館で行うさまざまなイベントをお知らせしています。今年度の第1号である4月号では昨年度図書貸出回数ランキングベスト10を紹介します。

順位	書名	著者	貸出回数
1位	こころ	夏目漱石	55
2位	クリスマスの贈物	竹久夢二	38
3位	嫌われても大丈夫 −寄りかからない生き方−	矢作和子	32
4位	次郎物語	下村湖人	29
5位	新樹の言葉	太宰治	28
6位	学年ビリからの逆転英語学習法	赤松弘毅	23
7位	源氏物語	紫式部	21
8位	君のためにできる100のこと	永田篤三	19
9位	SEになる！	及川織子	13
10位	武士道	新渡戸稲造	7

　第1位に輝いたのは、国語の教科書にも掲載されている「こころ」でした。授業で学習したことで多くの利用があったようです。ランキングした図書はカウンターに展示されています。この機会にぜひ読んでみてください。

読みたい本をリクエストしよう！

　図書館にない本はリクエストすることができます。リクエストカードに必要事項を記入し、図書館入口にあるリクエストBOXに投函してください。本が到着したら、リクエストしてくれた人に連絡が入り、最初に借りることができます。リクエストカードは図書室にも置いてあります。みなさんのリクエストをお待ちしています！

－－－－－－－－－－－－　キリトリ　－－－－－－－－－－－－

♥リクエストカード ♥

書　名	
著者名	
出版社	
学年・クラス・氏名	年　　組　氏名

5. Word の便利な機能

便利な機能を使ってみよう

これで解決！

　例えば，同じ内容の文書を複数の人に送付するときに，差し込み印刷の機能を使うと，送り先の氏名の箇所のみを次々と入れ替えて印刷することができます。このように，Word には文書を作成する上で便利な機能が数多く用意されています。便利な機能を使いこなし，Word の達人になりましょう。

Keyword
差し込み印刷

　作成した文書に，別に用意したファイルにあるデータを次々に埋め込んで印刷する機能である。定型文に受信者名を差し込むことや，年賀状の宛名印刷，宛名ラベルの作成などで使用することが多い。

例題9 差し込み印刷をしてみよう

　ファイル名「案内状」（ひな形データ）を開き，差し込み印刷の設定をしよう。

（ファイル名「案内状」）

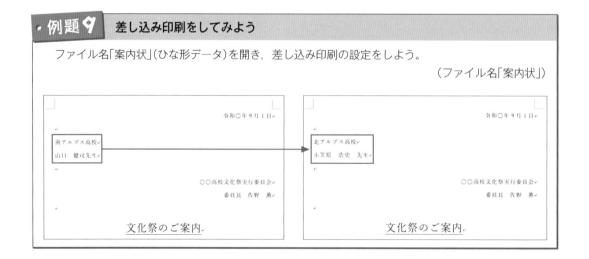

!注意

差し込み用のデータは，一般的に Excel を使って作成されることが多い。ここでも Excel を使用してファイルを作成している。

▶リンク
Excel のデータ入力
（→ p.68）

1 差し込み印刷

①案内状を作成して保存する。ここでは，学校名と氏名を差し込むため，受信者名の箇所には「高校」と「先生」という文字のみ入力する。また，差し込み用のデータとして，ファイル名「転勤先一覧」（ひな形データ）を用意するか，もしくは自分で作成して保存する。

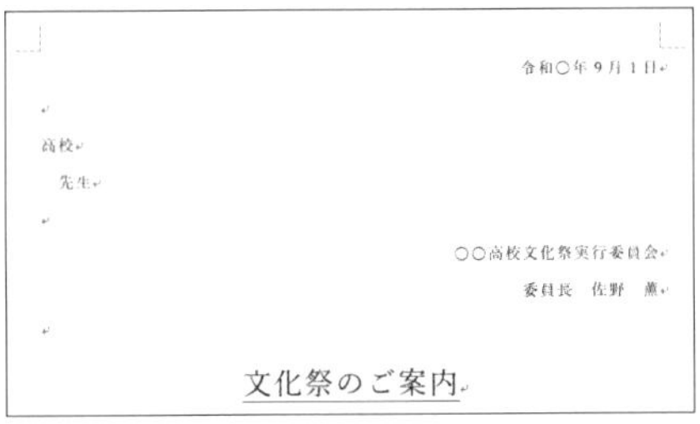

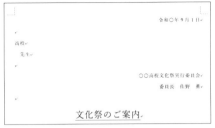

Word で作成した案内状

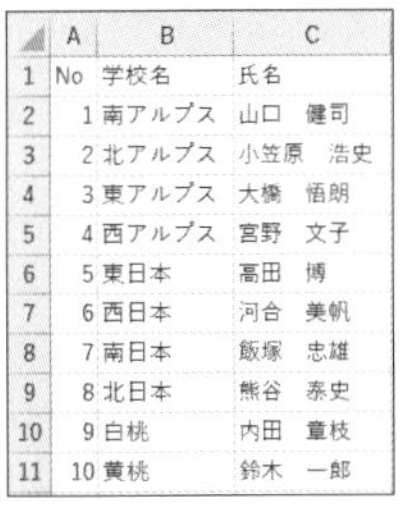

	A	B	C
1	No	学校名	氏名
2	1	南アルプス	山口　健司
3	2	北アルプス	小笠原　浩史
4	3	東アルプス	大橋　悟朗
5	4	西アルプス	宮野　文子
6	5	東日本	高田　博
7	6	西日本	河合　美帆
8	7	南日本	飯塚　忠雄
9	8	北日本	熊谷　泰史
10	9	白桃	内田　章枝
11	10	黄桃	鈴木　一郎

Excel で作成した送付先データ

②３行目の「高校」の前にカーソルを置き，**［差し込み文書］**－**［差し込み印刷の開始］**－**［差し込み印刷ウィザード(W)］**をクリックする。画面右には**［差し込み印刷］**の作業ウィンドウが表示される。文書の種類として**［レター］**を選択し，下にある**［次へ：ひな形の選択］**をクリックする。

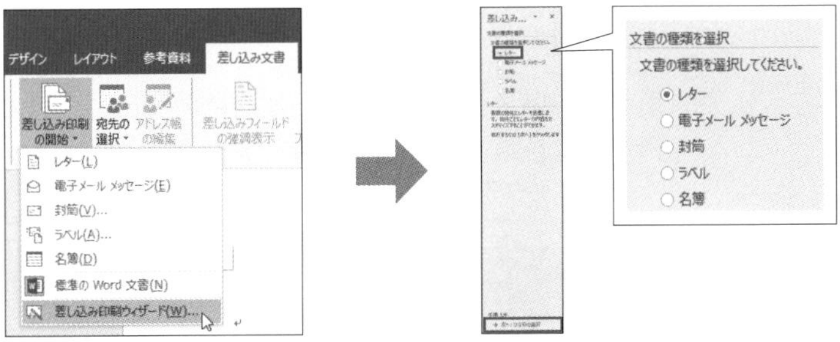

!注意

ここでは，デスクトップに Excel で作成した「転勤先一覧」というファイルがある状態での操作説明となっている。
また，テーブルとして Sheet1 を指定している。

③ひな形の選択で**［現在の文書を使用］**を選択し**［次へ：宛先の選択］**をクリックする。次に宛先の選択で**［既存のリストを使用］**を選択し，**［参照］**をクリックすると**［データファイルの選択］**のダイアログボックスが表示される。差し込み用のデータファイルがある場所を開き，ファイルを指定して 開く(O) をクリックすると**［テーブルの選択］**のダイアログボックスが表示されるので，テーブルを指定して OK をクリックする。

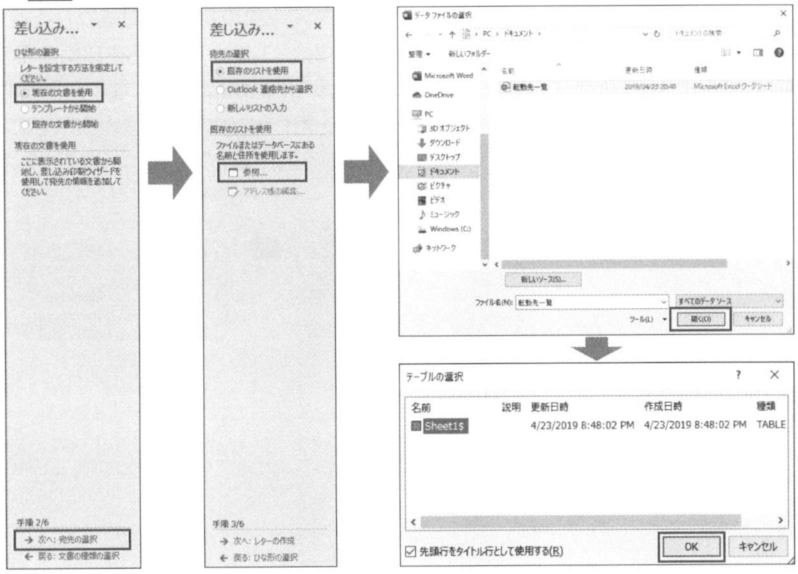

!注意
この例では，すべて
のデータを選択して
いる。

④[差し込み印刷の宛先]のダイアログボックスが表示
される。ここでは，使用するデータを選択すること
ができる。データを選択し OK をクリックする。
作業ウィンドウの下にある[次へ：レターの作成]を
クリックする。

❶差し込みフィールド
文書に差し込むデー
タファイルの項目と
差し込む位置を指定
する。
差し込むデータの項
目名は＜＜氏名＞＞
のように括弧でくく
られて表示される。
プレビュー表示をす
ると，差し込まれた
データを確認するこ
とができる。

⑤[差し込みフィールド❶の挿入]をクリックする。[差し込みフィールドの挿入]の
ダイアログボックスが表示されるので，[学校名]を選択して 挿入(I) をクリッ
クする。文面に挿入したフィールドが表示されるので， 閉じる をクリックす
る。

⑥4行目の「先生」の前にカーソルを置き，上記と同じ手順で[氏名]のフィールド
を挿入する。挿入後，作業ウィンドウの下にある[次へ：レターのプレビュー表示]
をクリックすると，1件目のデータが表示される。

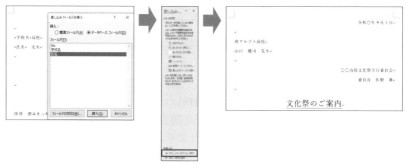

!注意
差し込み印刷をする
ときには，この手順
で行う。
[ファイル]−[印刷]
で行うと，表示して
いる文書しか印刷さ
れないので注意する
こと。

⑦作業ウィンドウにある >> (次のレコード)をクリックすると，次のデータが確認
できる。データの確認後，[次へ：差し込み印刷の完了]をクリックすると，作業
ウィンドウは差し込み印刷の完了画面になる。[印刷]をクリックすると，[プリ
ンターに差し込み]のダイアログボックスが表示されるので，レコードを指定し
て，OK をクリックする。[印刷]のダイアログボックスが表示されるので，OK を
クリックする。

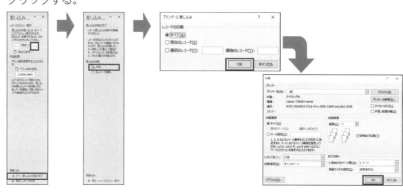

よく使用する用語などを「ユーザー辞書」に登録する機能を**単語登録**という。なお，単語登録は Word2019 の機能ではなく IME の機能であり，登録した単語は別のソフトウェアでも同じように使用することができる。

①タスクバーにある入力インジケーターを右クリックするとメニューが表示されるので，[**単語の登録(O)**]をクリックする。[**単語の登録**]のダイアログボックスが表示される。[**単語(D)**]と[**よみ(R)**]を入力し，$\boxed{\text{登録(A)}}$ をクリックする。$\boxed{\text{閉じる}}$ をクリックする。

！注意
ここでは名前を登録した例として，単語「山森実」，よみ「やま」を入力している。

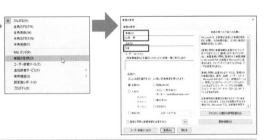

②登録した読みを入力し，$\boxed{\text{スペース}}$ を押すと，登録した単語が変換候補として表示される。

3 ▶ 文字の検索と置換

①[**ホーム**]－$\boxed{\varphi}$ **(検索)** をクリックすると，[**ナビゲーション**]作業ウィンドウが表示されるので，検索するキーワードを入力する。文字が検索されて，黄色いマーカーが付いた状態で表示される。

②[**ホーム**]－$\boxed{\text{ab}}$ **(置換)** をクリックすると，[**検索と置換**]のダイアログボックスが表示される。[**検索する文字列(N)**]と[**置換後の文字列(I)**]にそれぞれ文字を入力する。一つずつ確認しながら置き換える場合には，$\boxed{\text{置換(R)}}$ を，確認せずにすべて置き換える場合には $\boxed{\text{すべて置換(A)}}$ をクリックする。

4 ▶ PDF ファイルとして保存

[**ファイル**]－[**エクスポート**]－[**PDF** [2] **/XPS ドキュメントの作成**]から $\boxed{\square}$ **(PDF/XPS の作成)** をクリックすると，[**PDF または XPS 形式で発行**]のダイアログボックスが表示される。ここでファイルの種類が PDF になっていることを確認する。ファイル名を入力し，$\boxed{\text{発行(S)}}$ をクリックする。

❷ PDF
紙に印刷するときと同じ状態のイメージを保存することができ，さまざまなパソコンやタブレットで表示することができるファイル形式である。この形式で保存すれば，Word がない環境でもファイルを閲覧することができる。

透かしは，文書の後ろに図や文字を表示する機能である。印刷レイアウト表示や印刷プレビュー，印刷した文書で確認することができる。

[**デザイン**]−[**透かし**]−[**ユーザー設定の透かし(W)**]をクリックする。[**透かし**]のダイアログボックスが表示される。ここでは[**テキスト**]を選択した状態で[**テキスト(T)**]の ∨ をクリックし，「回覧」を選択して OK をクリックする。

❶ ハイパーリンク

Word や Excel などの文書にある文字や画像などに，Web サイトやほかの文書，画像の位置情報を埋め込み，その設定した文字などをクリックすると，指定したWeb ページや文書などに移動し，参照することができる。

①ハイパーリンク❶を設定する文字をドラッグし，[**挿入**]− 🔗 (**リンク**)をクリックする。

②[**ハイパーリンクの挿入**]のダイアログボックスが表示される。ここでリンク先の指定をすることができる。

下記の例では，[**アドレス(E)**]に URL を入力し，Web サイトへのリンクを設定している。

OK をクリックすると，文字は青くアンダーラインが付きリンクが設定された状態となる。Ctrl を押しながら，文字をクリックすると，指定したリンク先にジャンプする。

[**ファイル**]タブをクリックし，[**新規**]をクリックする。テンプレートの一覧が表示される。

使いたいテンプレートをクリックすると，テンプレートの解説画面が表示される。🗎 作成 をクリックすると，テンプレートによる新規文書が表示される。

➕α **プラスアルファ**　オンラインテンプレートの検索

テンプレートはキーワードを入力してインターネット上から取得することができる。

8 ▶ Excel データの利用

Excel で作成した表やグラフは，Word 文書で利用することができる。

①Excel ファイルを開き，使用する範囲を選択し，[ホーム]-🖹 (コピー)をクリックする。

②Word の文書を開き，貼り付ける位置にカーソルを置く。[ホーム]-📋 (貼り付け)にある▼をクリックすると，[貼り付けのオプション：]が表示される。

🖹 **元の書式を保持**

Excel の書式のままで，Excel のデータとはリンクしない。

📋 **貼り付け先のスタイルを使用**

フォントなど Word の書式が使用され，Excel のデータとはリンクしない。

🖹 **リンク（元の書式を保持）**

Excel の書式のままで，Excel のデータとリンクする。Excel のデータが更新されると，Word 文書にある表のデータも更新される。

📋 **リンク（貼り付け先のスタイルを使用）**

フォントなど Word の書式が使用され，Excel のデータとはリンクする。Excel のデータが更新されると Word 文書にある表のデータも更新される。

🖼 **図**

Excel の表を画像にして貼り付ける。Excel のデータとはリンクしない。

🅰 **テキストのみ保持**

Excel の表にあるデータのうち，数値や文字をテキストデータとして貼り付ける。罫線などは貼り付かない。また，Excel のデータとはリンクしない。

③右は🖹(**元の書式を保持**)で貼り付けたものである。貼り付けた表は Word 文書の表として扱うことができ，フォントや表の位置なども変更することができる。❷

❷
Excel で作成したグラフも同様の手順で Word 文書に貼り付けることができる。

商品名	単価	1日目	2日目	合計	売上金額
カレーライス	¥300	285	312	597	¥179,100
焼きそば	¥200	307	345	652	¥130,400
豚汁	¥150	345	370	715	¥107,250
クレープ	¥150	234	283	517	¥77,550
駄菓子	¥50	512	545	1,057	¥52,850
合計		1,683	1,855	3,538	¥547,150

特集 レポートの組み立て方

レポートを作成するための手順と基本的な構成，およびレポートの体裁について紹介する。

 レポート作成の手順

　調査や実験などの結果報告や研究内容をまとめた小論文などを**レポート**という。レポートには書き方があり，理科系の実験レポートと文科系の研究レポートでは，一般的にその作成方法や構成が異なる。ここでは，文科系の研究レポートを前提とした作成手順を紹介する。

1 テーマを決める

　テーマは課題としてテーマが与えられる場合と，自分が決める場合とがある。まずは何がテーマなのかをはっきりさせよう。

2 主題を決める

　テーマが決まったら，次はそれに対して「このように主張しよう」とか「こう結論付けよう」といった「仮説」を考えてみよう。そのためには調査が重要となる。さまざまな文献を読んだり，インターネットを使って検索してみよう。情報を集めていく過程のなかで，自分なりの考え「仮説」を立ててみる。これが主題となる。

3 主題文を書く

　次に，決定した主題について，簡潔に文章を書いてみよう。何を目標としてこのレポートを書くのか，何を主張するのかといったことを短い文章で表現する。

4 材料を集める

　主題を展開し，裏付けるための材料を集めよう。レポートは調査によって得られた事実を積み上げ，それに基づいて自分の考えを明示するものである。事実，つまり裏付けとなる材料を集めるには次のような方法がある。

> **①実地調査・観察・実験など**
> 　自分自身で実際に「現地に行って調べる」「人に会って話を聞く」「変化を観察する」などを行う。

> **②書籍・新聞などの文献やネット検索による調査**
> 　図書館で文献を探したり，インターネットによる情報検索などを行う。なお，これらの情報をレポートで引用する場合には「出典」を明示する。詳細はリファレンス「13.情報検索と引用の仕方」(→p.200)を参照のこと。

 レポートの構成

1 表題

　レポートの内容である主題を具体的に，適切に示したものである。次ページ上の例では，表題を「男女平等と女性保護との矛盾」とすることができる。

2 序論

　次の本論へのイントロダクションである。下記のような内容を記述する。

> ・本論で取り上げる問題(話題)は何か
> ・その問題を取り上げた動機は何か
> ・その問題の背景はどのようなものか
> ・どのような調査・研究をしたのか(簡単に2〜3行で述べる)

3 本論

　調査・研究のやり方を述べ，それによって明らかになった事実を述べる部分である。この本論がレポートの大半を占める。次の2点について，詳しく具体的に述べる。

> ①調査・研究の方法
> ②調査・研究の結果

4 結論

　本論の調査・研究の結果を簡潔に列挙し，まとめる。それについて自分の見解・主張を述べる。

```
┌────────────────────────────────────────────┐        ┌──レポート──┐
│ テーマ：男女雇用機会均等法について           │      ┌─┤          ├─┐
│                                              │      │ 表 題：○○○○○○○○  │
│ 調 査：（資料や自分の疑問から）              │      │ 序 論：○○○○○○○○○○○ │
│ どんな法律 深夜労働 男性の育児休暇           │  →   │        ○○○○○○○○  │
│ 出張・転勤 特殊な職種 本当に平等？           │      │                      │
│                                              │      │ 本 論：○○○○○○○○○○○ │
│ 主 題：男女平等と女性保護の両立のた          │      │        ○○○○○○○○○○○ │
│ めには，国が補償をすべきである。             │      │        ○○○○○○○○○○○ │
│                                              │      │        ○○○○○○○○○○○ │
│ 主題文：同一労働同一賃金の原理から，         │      │        ○○○○○○○○○○○ │
│ 企業の立場としては，男女平等と女性保護       │      │                      │
│ とは両立しないことを示し，両立のために       │      │ 結 論：○○○○○○○○○○○ │
│ は女性保護のために生じる賃金格差を，         │      │        ○○○○○○○○○○○ │
│ 国が補償するしかないことを主張する。         │      │ 文献表：○○○○○○○○  │
└────────────────────────────────────────────┘        └──────────────┘
```

5 文献表

　どの文献からの引用なのかを示す部分である。レポートで引用する文献に引用順に番号を付け，この部分に下記の要素を記す。

```
┌──────────────────────────────┐
│ ①著者名（編者名を含む）        │
│ ②書名                          │
│ ③版                            │
│ ④出版社                        │
│ ⑤出版年                        │
│ ⑥掲載ページ                    │
│ （例）23）山田太郎：            │
│     「レポートの書き方 改訂版」，│
│     （実教出版，2003）p.128    │
└──────────────────────────────┘
```

3 レポートの体裁

1 レイアウト

　実際に文書が印刷される部分を版面（はんづら）という。文字や写真をレイアウトする場合には，版面いっぱいに配置すると美しく見える。
　印刷されない部分を余白（マージン）という。Wordでは「標準の余白」が用意されている。行数の少ない文書では余白を大きくすると体裁はよくなるが，標準的な値とかけ離れていると読みづらくなる。

2 フォント

　さまざまなフォントがあるが，レポートの場合には読んでいて疲れない明朝体を本文として用い，目を引くゴシック体などはタイトルや特に目立たせたい箇所に部分的に用いるとよい。なお，文字の色は黒を使用する。

3 フォントサイズ

　フォントサイズは**ポイント**や**級**などで表す。Wordでは標準のフォントサイズは10.5ptである。1pt＝0.35mmなので，10.5ptは約3.7mmの大きさの文字である。レポートの本文は10pt ～ 12ptにし，タイトルは16pt，見出しは14ptなど本文より大きく設定する。

4 字間と行間

　字間は詰まりすぎたり，広がりすぎたりしないようにする。行と行の間の広さ(ピッチ)は，通常文字の大きさの1.2倍から2倍程度にする。1行の文字数が多いほど，また全体の行数が多いほど，行間を広くしたほうが見やすくなる。

5 文字飾りとスタイル

　アンダーラインや太字など，特に目立たせたい部分に使用する。

6 図版

　表，グラフ，イラスト，写真などの視覚的情報を**図版**という。図版はカラーで入れても構わないが，内容に関係のないイラストをレポートに入れてはいけない。

1. Excel の基本操作

表計算ソフトを使ってみよう

　支出額の集計は電卓を使って行うこともできますが，入力ミスや報告されたデータに誤りがあったときは最初から集計をやり直さなければなりません。表計算ソフトにこれらのデータを入力し，計算式を設定しておけば，入力ミスやデータ変更があっても自動的に再計算が行われるだけでなく，各団体の支出額をグラフ化して比較することなども可能になります。ここでは，便利な表計算ソフトの使い方を学習しましょう。

Keyword

表計算ソフト

　数値データの集計やグラフ作成などが行えるソフトウェアのこと。代表的な製品として Microsoft 社の Excel，KINGSOFT 社の Spreadsheets などがある。表計算ソフトでは，データや計算式を入力する縦横に区切られた1つ1つのマス目を**セル**といい，セルで構成された作業用のシートを**ワークシート**という。

・例題 1　**Excel2019 を起動し，画面構成を確認してみよう**

　Excel2019 を起動し，各部の名称を確認してみよう。確認後，Excel を終了しよう。

▶リンク

起動方法
(→ p.7)

● ブック

Excel では，複数の
ワークシートをまと
めたものを**ブック**と
いい，ブック単位で
ファイルの保存を行
う。
Excel2019 の初期設
定では，空白のブック
を 選 択 す る と，
Sheet1 という名前の
ワークシート 1 つだ
けが表示される。

○ テンプレート

簡単に表が作成でき
るように用意された
ひな形を**テンプレー
ト**という。Excel の
スタート画面には空
白のブック以外にカ
レンダーや家計簿な
ど，さまざまなテン
プレートが用意され
ている。また，イン
ターネット上からテ
ンプレートをダウン
ロードすることもで
きる。

1 ▶ Excel2019 の起動

① Excel2019 を起動する。
② Excel のスタート画面が表
示される。
ここでは[**空白のブック**]を
クリックする。

③新しいブック❶が表示される。

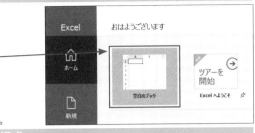

2 ▶ Excel2019 の画面構成

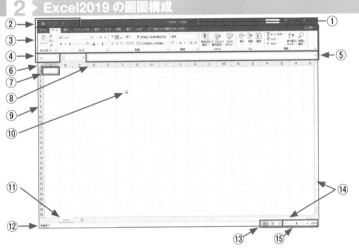

①**タイトルバー**………………………作成中のファイル名が表示される。

②**クイックアクセスツールバー**…よく使う機能を登録できるバー。標準では[**上書
き保存**]などのボタンが表示されている。

③**リボン**…………………………………Excel を操作するときに使用するボタンが表示さ
れる領域。操作の種類で分けられている各タブ
にそれぞれのボタンが表示される。

④**名前ボックス**………………………現在選択されているセルの位置がセル番地や名
前で表示される。

⑤**数式バー**…………………………現在選択されているセルの内容が表示される。入
力もできる。

⑥**全セル選択ボタン**………………クリックすると全てのセルが選択される。

⑦**アクティブセル**……………………緑色の枠で囲まれた現在選択されているセル。

⑧**列見出し**…………………………16,384 列が A から XFD 列までの英字で表示さ
れている。

⑨**行見出し**…………………………1 から 1,048,576 行まで数字で表示されている。

⑩**マウスポインター**………………マウスポインターの現在位置。マウスポインター
の形は作業状態によって変化する。

⑪**シート見出し**………………………ワークシートを切り替えるときにクリックする。

⑫**ステータスバー**……………………作業中のブックに関する情報が表示される。

⑬**表示モード**………………………各ボタンをクリックすると表示モードが変更さ
れる。

⑭**スクロールバー**……………………画面上に表示されていない部分を表示させると
きにドラッグする。

⑮**ズームスライダー**………………ワークシートの表示倍率を変更するときに利用
する。

①タイトルバーの右端にある ✕ (閉じる)をクリックする。

②セルに文字(スペースを含む)が入力されていると，下記のようなメッセージが表示される。ここでは 保存しない(N) をクリックし，保存せずに終了する。

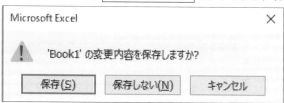

・例題2 データを入力しよう

Excel を起動し，新規にブックを用意しよう。表示されたワークシートに次のようにデータを入力し保存しよう。 　　　　　　　　　　　　　　　　　　　　　　　　(ファイル名「文化祭会計」)

	A	B	C	D
1	番号	団体名	1日目	2日目
2	1	2年A組	253	328
3	2	2年B組	243	300
4	3	2年C組	128	140
5	4	2年D組	262	275
6	5	2年E組	154	162

■ **1** ▶ データの入力

入力したいセルをクリックして選択後，データを入力する。入力対象のセルは緑色の枠で囲まれた状態になる。この入力対象となっているセルを**アクティブセル**という。

①セル A1 をクリックし，アクティブセルにする。

②[半角／全角]を押し，日本語入力オンの状態にする。

③「ばんごう」と文字を入力し，[スペース]で変換後，[Enter]で確定する。

さらに[Enter]を押すとデータがセルに入力され，アクティブセルはセル A2 へ移動する。

文字データはセルの中で左寄せの状態で入力される。

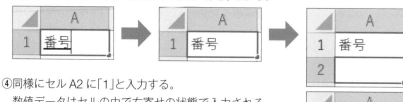

④同様にセル A2 に「1」と入力する。

数値データはセルの中で右寄せの状態で入力される。

！注意
数値データを入力するときには日本語入力をオフにして入力するとよい。[Enter]を押す回数を減らすことができる。

❶ オートフィル
フィルハンドルを使って，連続データを自動的に入力する機能のこと。データが連続していないときは，データのコピーとなる。

❷ フィルハンドル
アクティブセルの右下にある四角形のこと。

○ マウスポインターの形状
マウスポインターの形状は，操作に応じて変化する。
⊕
セルを選択するとき
✛
オートフィル機能を使うとき

■ 2 ▶ オートフィル機能

セル A3 以降のデータは，連続した数値となっている。ここでは，オートフィル❶機能を使って入力してみよう。
①セル A2 をクリックする。
②マウスポインターをフィルハンドル❷の上に重ねると，マウスポインターの形が ✛ になる。

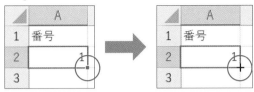

③この状態でセル A6 までドラッグし，マウスから手を離すとセル A2 ～ A6 までに 1 が入力されるとともに（オートフィルオプション）ボタンが表示される。このボタンにマウスポインターを合わせると，右に ▼ が表示されるので，これをクリックする。表示されたメニューの中から[連続データ(S)]をクリックすると，データが 1 から 5 までの連続データに変更される。

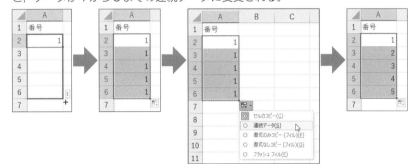

④セル B1 に「団体名」，セル B2 に「2 年 A 組」と入力する。
⑤セル B2 をクリックし，オートフィル機能を使ってセル B6 までドラッグする。表示された（オートフィルオプション）ボタンをクリックし，メニューの中から[セルのコピー(C)]を選択する。

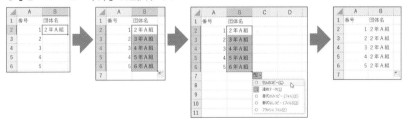

⑥セル C1 に「1 日目」と入力する。

	A	B	C	D
1	番号	団体名	1 日目	

⑦オートフィル機能を使ってセル D1 までドラッグすると，セル D1 に「2 日目」と入力される。

	A	B	C	D
1	番号	団体名	1 日目	2 日目

3章

1 Excel の基本操作 ● **69**

❶
セルを選択後 F2
を押しても同様に
カーソルが表示され，
データを編集するこ
とができる。また，
数式バー内をクリッ
クしてカーソルを表
示し，この中でデー
タを変更することも
できる。

この中をクリックし
て直接入力

3 ▶ データの編集

入力したデータを修正してみよう。

①セル B3 を選択し，ダブルクリックするとセルの中にカーソルが表示される。❶
「A」の文字を削除し「B」と入力後，Enter で確定する。同様の操作で，セル B4 ～
B6 までのデータを変更する。

②セル C2 ～ D6 に数値データを入力し，表を完成
させる。

	A	B	C	D
1	番号	団体名	1日目	2日目
2	1	2年A組	253	328
3	2	2年B組	243	300
4	3	2年C組	128	140
5	4	2年D組	262	275
6	5	2年E組	154	162

○ データの消去
入力したデータが不
要になったときは，
該当するセルを選択
し，Delete を押す。
複数の範囲のデータ
をまとめて消去した
い場合は，消去した
い範囲をドラッグし
て選択後，Delete
を押す。

4 ▶ ファイルの保存

①[ファイル]タブをクリックし，次に表示された画面から[名前を付けて保存]をク
リックする。

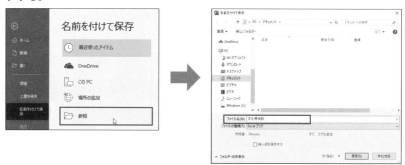

○ データの移動
セルを選択後，マウ
スポインターをセル
の枠に置くと に
なる。
この状態でドラッグ
&ドロップする。

②[参照]をクリックする。[名前を付けて保存]のダイアログボックスが表示される。
保存場所を選択後，[ファイル名(N)]に「文化祭会計」と入力し，保存(S) をクリッ
クする。

○ データのコピー
セルを選択後，マウ
スポインターをセル
の枠に置き，Ctrl
を押すと になる。
この状態でドラッグ
&ドロップする。

③タイトルバーの表示が「Book1」から「文化祭会計」に変わる。

Book1 - Excel ➡ 文化祭会計 - Excel

④タイトルバーにある ✕ (閉じる)をクリックし，Excel を終了する。

■ 5 ▶ ファイルを開く

①再度 Excel2019 を起動する。

②[**最近使ったアイテム**]にファイル名が表示されているときは，それをクリックする。

表示されていないときは，[**開く**]をクリックすると，[**開く**]画面に表示が変わるので，[**参照**]をクリックする。

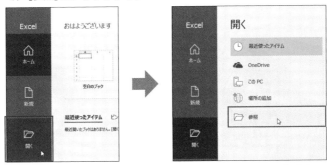

③[**ファイルを開く**]のダイアログボックスが表示される。保存している場所を指定する。「文化祭会計」のファイルを選択し，開く(O) をクリックする。

| 類題 | 1 | **オートフィル機能でデータを入力してみよう** | ファイル名：オートフィル |

Excel を起動し，新規にブックを用意しよう。表示されたワークシートに下記のデータを入力後，セル A1 を選択し，セル E1 までオートフィル機能を使って連続データを入力しよう。セル A2 ～ A7 も同様に，E 列までオートフィル機能を利用してデータを入力しよう。

	A	B	C	D	E
1	4 月				
2	April				
3	卯月				
4	亥				
5	月				
6	Mon				
7	令和2年				

2. 表作成のための工夫

見やすい表を作ってみよう

こ れ で 解 決 ！

データを入力するときに各セルは枠で囲まれていますが，印刷してみると，枠表示はなくデータのみがそのまま出力されます。ここでは，罫線を引いたり，重要な箇所には色を付けるなど，作成した表を見やすくするための機能や計算式の入力方法について学習しましょう。

Keyword

罫線

Excel では各セルを区切る線を**枠線**という。枠線はデータを入力するときの目安となるが，初期設定では印刷されない。通常は必要な箇所に**罫線**を引き，表として見やすくなるように設定を行う。Excel では，罫線のボタンを使用することで，まとめて簡単に各セルに罫線を設定することができる。

例題 3　データを追加し，表の体裁を整えよう

ファイル名「文化祭会計」を開き，次のように変更してみよう。変更後，上書き保存しよう。
（ファイル名「文化祭会計」）

	A	B	C	D	E
1			食品部門販売数		
2	番号	団体名	品名	1日目	2日目
3	1	2年A組	カレーライス	253	328
4	2	2年B組	焼きそば	243	300
5	3	2年C組	じゃがバター	128	140
6	4	2年D組	フランクフルト	262	275
7	5	2年E組	クレープ	154	162

1 ▶ 行・列の挿入

行や列を挿入してみよう。

①行番号1をクリックし，1行目を選択する。

	A	B	C	D
1	番号	団体名	1日目	2日目
2	1	2年A組	253	328
3	2	2年B組	243	300
4	3	2年C組	128	140
5	4	2年D組	262	275
6	5	2年E組	154	162

②そのまま右クリックし，表示されたメニューから[挿入(I)]をクリックすると，行が挿入される。

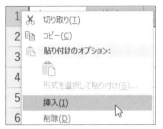

	A	B	C	D
1				
2	番号	団体名	1日目	2日目
3	1	2年A組	253	328
4	2	2年B組	243	300
5	3	2年C組	128	140
6	4	2年D組	262	275
7	5	2年E組	154	162

③セルA1をクリックし，「食品部門販売数」と入力する。

	A	B
1	食品部門販売数	
2	番号	団体名

④列見出しCをクリックし，C列全体を選択する。

	A	B	C	D
1	食品部門販売数			
2	番号	団体名	1日目	2日目
3	1	2年A組	253	328
4	2	2年B組	243	300
5	3	2年C組	128	140
6	4	2年D組	262	275
7	5	2年E組	154	162
8				

⑤そのまま右クリックし，表示されたメニューから[挿入(I)]をクリックすると，列が挿入される。

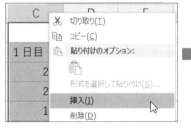

	A	B	C	D	E
1	食品部門販売数				
2	番号	団体名		1日目	2日目
3	1	2年A組		253	328
4	2	2年B組		243	300
5	3	2年C組		128	140
6	4	2年D組		262	275
7	5	2年E組		154	162

⑥C列に下記のデータを入力する。

セルC2：品名
セルC3：カレーライス
セルC4：焼きそば
セルC5：じゃがバター
セルC6：フランクフルト
セルC7：クレープ

	A	B	C	D	E
1	食品部門販売数				
2	番号	団体名	品名	1日目	2日目
3	1	2年A組	カレーライ	253	328
4	2	2年B組	焼きそば	243	300
5	3	2年C組	じゃがバタ	128	140
6	4	2年D組	フランク	262	275
7	5	2年E組	クレープ	154	162

左欄（注釈）

○ 最適幅への変更
ドラッグではなく，➕ の状態でダブルクリックすると，最も長い文字列に合わせて列幅が変更される。

○ 列幅変更の目安
ドラッグ時には幅14.38（120ピクセル）といった情報が列見出し上に表示されるので，これを参考にするとよい。

○ 行の高さの変更
行番号の境界にマウスポインターを置いてドラッグすると，行の高さが変更できる。

○ セルの選択
ドラッグするときは，マウスポインターの形が 🔁 の状態で行う。

○ 罫線の削除
罫線を削除したい範囲を選択し，⬚ 枠なし(N) をクリックする。

○ 結合の解除
セルの結合を解除したいときは，再度 🔲 (セルを結合して中央揃え)をクリックする。

本文

■ 2 ▶ 列幅の変更

① C列に入力したデータがすべて見えるように列幅を変更する。列見出しCとDの間にマウスポインターを置くと，形が ➕ に変わる。この状態でマウスを広げたい方向へドラッグする。

②列幅が変更される。

■ 3 ▶ 罫線

①セルA2 ～ E7をドラッグし，選択する。

②[ホーム]-田▾(罫線)の右にある▼をクリックする。表示されたメニューから[格子(A)]をクリックすると，選択した範囲に罫線が引かれる。

■ 4 ▶ セルを結合して中央揃え

①セルA1 ～ E1をドラッグし，選択する。

②[ホーム]-🔲(セルを結合して中央揃え)をクリックする。
　セルA1 ～ E1が結合され1つのセルになり，文字は中央に配置される。

○ セル内の文字配置
セルを選択し，下記
のボタンをクリック
する。

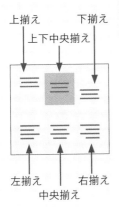

上揃え　　下揃え
上下中央揃え

左揃え　　右揃え
中央揃え

5 中央揃え

①セル A2 ～ E2 をドラッグし，選択する。

②[ホーム]-≡(**中央揃え**)をクリックする。

③セル内の文字がそれぞれ中央に配置される。

	A	B	C	D	E
1	食品部門販売数				
2	番号	団体名	品名	1日目	2日目
3	1	2年A組	カレーライス	253	328

6 フォントサイズの変更

　セル A1 を選択し，[ホーム]-11▼(**フォントサイズ**)の右にある▼をクリック
し，「14」を選択する。フォントサイズが変更され，文字が大きくなる。

7 太字と下線

○ 下線の種類の変更
下線の種類を変更し
たいときは U の右
にある▼をクリック
すると変更できる。
○ 斜体
I をクリックする
と文字を斜体にでき
る。

　セル A1 を選択する。[ホーム]-**B** (**太字**)をクリックする。続けて **U** (**下線**)を
クリックする。
　文字が太くなり，アンダーラインが引かれる。

8 セルの背景色

○ フォントの色
文字に色を設定する
ときは，[ホーム]-
A▼(**フォントの色**)
の右にある▼をク
リックし，色を選択
する。

①セル A2 ～ E2 をドラッグし，選択する。

②[ホーム]-♦▼(**塗りつぶしの色**)の右にある▼をクリックし「ゴールド、アクセ
ント4」をクリックする。指定した色でセルに背景色が設定される。

3 章

・例題 4　シートをコピーし，データを変更してみよう

ファイル名「文化祭会計」を開き，シートをコピーしよう。コピーしたシートを次のように変更してみよう。　　　　　　（ファイル名「文化祭会計」）

	A	B	C	D	E
1	\multicolumn{5}{c}{食品部門売上実績}				
2	番号	団体名	品名	1日目	2日目
3	1	2年A組	カレーライス	253	328
4	2	2年B組	焼きそば	243	300
5	3	2年C組	じゃがバター	128	140
6	4	2年D組	フランクフルト	262	275
7	5	2年E組	クレープ	154	162

■ 1 ▶ シート名の変更

シート見出しにある「Sheet1」の文字にマウスポインターを合わせ，ダブルクリックすると文字全体が選択される。「販売数」と文字を入力し，Enter を押して確定する。

■ 2 ▶ シートのコピー

①シート見出し「販売数」にマウスポインターを合わせる。Ctrl を押すとマウスポインターの形が 🖑 になり，シート見出しの上に ▼ が表示される。そのまま右へドラッグし，▼ が「販売数」見出しの右へ表示されたらマウスから手を離す。シートがコピーされ「販売数(2)」と表示される。

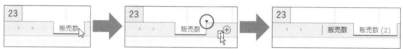

②「販売数(2)」のシート名を「売上金額」に変更する。

③A列，D列，E列の列幅を調整する。またセルA1の文字を「食品部門売上実績」に変更する。

	A	B	C	D	E
1	\multicolumn{5}{c}{食品部門売上実績}				
2	番号	団体名	品名	1日目	2日目
3	1	2年A組	カレーライス	253	328
4	2	2年B組	焼きそば	243	300
5	3	2年C組	じゃがバター	128	140
6	4	2年D組	フランクフルト	262	275
7	5	2年E組	クレープ	154	162

○ シートの追加
⊕ をクリックすると新規のワークシートが追加される。データをコピーする必要がなく，単純にシートを増やすときに使用する。

！注意
シートをコピーするときは，Ctrl を押したままドラッグする。
ドラッグ後は，マウスから先に手を離すこと。
Ctrl から先に手が離れてしまうと，コピーできない。

＋α プラスアルファ　シート見出しの色

シートを区別しやすいように，シート見出しに色を設定することができる。シート名の上で右クリックするとメニューが表示される。[シート見出しの色(T)]を選択し，表示された色の中から選択する。

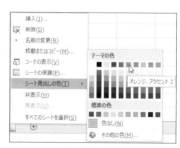

ファイル名「文化祭会計」の「売上金額」シートを次のように変更してみよう。なお，セル G3 ～ H7 には計算式を設定すること。 （ファイル名「文化祭会計」）

	A	B	C	D	E	F	G	H
1			食品部門売上実績					
2	番号	団体名	品名	価格	1日目	2日目	合計	売上金額
3	1	2年A組	カレーライス	¥300	253	328	581	174,300
4	2	2年B組	焼きそば	¥200	243	300	543	108,600
5	3	2年C組	じゃがバター	¥200	128	140	268	53,600
6	4	2年D組	フランクフルト	¥150	262	275	537	80,550
7	5	2年E組	クレープ	¥150	154	162	316	47,400

1 データの追加

①D列を追加し，セル D2 ～ D7 に下記のようにデータを入力する。セル G2 に「合計」，セル H2 に「売上金額」と入力し，セル G2 ～ H7 に罫線を引く。列幅をそれぞれ調整する。

	A	B	C	D	E	F	G	H
1			食品部門売上実績					
2	番号	団体名	品名	価格	1日目	2日目	合計	売上金額
3	1	2年A組	カレーライス	300	253	328		
4	2	2年B組	焼きそば	200	243	300		
5	3	2年C組	じゃがバター	200	128	140		
6	4	2年D組	フランクフルト	150	262	275		
7	5	2年E組	クレープ	150	154	162		

②セル A1 ～ H1 をドラッグし，選択する。

	A	B	C	D	E	F	G	H
1			食品部門売上実績					
2	番号	団体名	品名	価格	1日目	2日目	合計	売上金額

③ 🔲 (**セルを結合して中央揃え**)を2度クリックする。セル A1 ～ H1 が結合され，文字が中央に配置される。

	A	B	C	D	E	F	G	H
1				食品部門売上実績				
2	番号	団体名	品名	価格	1日目	2日目	合計	売上金額
3	1	2年A組	カレーライス	300	253	328		
4	2	2年B組	焼きそば	200	243	300		
5	3	2年C組	じゃがバター	200	128	140		
6	4	2年D組	フランクフルト	150	262	275		
7	5	2年E組	クレープ	150	154	162		

Excel ではデータが変更されたときに自動的に再計算が行われるように，基本的にセル番地を使って計算式を設定する。ここでは，合計と売上金額を求めてみよう。

!注意
計算式の入力は日本語入力をオフにし，半角英数字で行うこと。

①各食品の販売数を合計する。セル G3 を選択後，キーボードから「＝」を入力する。

	E	F	G	H
上実績				
	1日目	2日目	合計	売上金額
	253	328	=	

❶
セルの選択は ← を使ってもよい。

②セル E3 をクリックする。❶

	E	F	G
上実績			
	1日目	2日目	合計
	253	328	=E3

③キーボードから「＋」を入力し，続けてセル F3 をクリックする。Enter を押すと計算結果が表示される。

	E	F	G	H
上実績				
	1日目	2日目	合計	売上金額
	253	328	=E3+F3	

➡

	E	F	G	H
上実績				
	1日目	2日目	合計	売上金額
	253	328	581	

④セル G3 をクリックする。セル G3 には計算結果が表示されているが，数式バーを見ると，計算式が入力されていることが確認できる。

	C	D	E	F	G
	食品部門売上実績				
	品名	価格	1日目	2日目	合計
	カレーライス	300	253	328	581

❷ オートフィル
計算式のコピーにも使用できる。この場合，計算式は相対的にセル番地が変わって入力される。

▶リンク
オートフィル機能
（→ p.69）

⑤オートフィル❷機能を使って，計算式をコピーする。マウスポインターを右下にあるフィルハンドルに合わせると，マウスポインターの形が ╋ に変わる。そのままセル G7 までドラッグすると，計算式がコピーされる。

F	G	H
2日目	合計	売上金額
328	581	
300		
140		
275		
162		

➡

F	G	H
2日目	合計	売上金額
328	581	
300	543	
140	268	
275	537	
162	316	

○ 相対参照
セル G3 に入力されている「=E3 ＋ F3」の計算式をコピーすると，セル G4 には「=E4 ＋ F4」とコピー先に合わせて参照するセル番地が変更された計算式が入力される。これを**相対参照**という。

⑥セル G4 をクリックし，数式バーを見ると「＝ E4 ＋ F4」に計算式が変化していることが確認できる。

	C	D	E	F	G	H
	食品部門売上実績					
	品名	価格	1日目	2日目	合計	売上金額
	カレーライス	300	253	328	581	
	焼きそば	200	243	300	543	

○ かけ算
Excel では×の代わりに＊を使用する。

⑦各食品の売上金額を求める。セル H3 を選択後，キーボードから「＝」を入力する。
⑧セル D3 を選択し，続けてキーボードから「＊」を入力する。次にセル G3 を選択する。

○ 算術演算子
計算式を設定するとき，Excel では下記の記号を使う。

種類	数学	Excel
足し算	＋	＋
引き算	－	－
かけ算	×	＊
割り算	÷	／

⑨ Enter を押すと計算結果が表示される。オートフィル機能を使って，セル H7 まで計算式をコピーする。

3 ▶ 表示形式の変更

表を見やすくするために，表示形式を変更してみよう。

①セル D3 ～ D7 をドラッグし，選択する。[ホーム]－ （通貨表示形式）をクリックすると，¥マークが設定される。

○ 表示形式を元に戻す
設定したセルを選択すると，「通貨」表示になっていることが確認できる。

▼ をクリックし，「標準」を選択すると，元の表示に戻る。

	C	D
	食品部門売	
	品名	価格
	カレーライス	300
	焼きそば	200
	じゃがバター	200
	フランクフルト	150
	クレープ	150

→

	C	D
	食品部門売	
	品名	価格
	カレーライス	¥300
	焼きそば	¥200
	じゃがバター	¥200
	フランクフルト	¥150
	クレープ	¥150

②セル H3 ～ H7 をドラッグし，選択する。[ホーム]－ （桁区切りスタイル）をクリックすると，3桁ごとにカンマが表示される。

G	H
合計	売上金額
581	174300
543	108600
268	53600
537	80550
316	47400

→

G	H
合計	売上金額
581	174,300
543	108,600
268	53,600
537	80,550
316	47,400

3 関数の利用

関数を使ってみよう

計算式の設定方法はすでに学習しましたが，例えば 1000 件のデータがあった場合，その合計を求める足し算の計算式を設定するのは大変手間がかかります。関数を使えば，合計するデータの範囲を指定するだけで簡単に求めることができます。

Excel にはこのほかにも便利な関数が数多くあります。ここでは，関数の使い方について学習しましょう。

Keyword

関数

ある計算を自動的に行うために定義されている数式のこと。関数を使えば，計算に必要な数値などを入力するだけで簡単に結果を求めることができる。関数は，先頭に「＝」を付け，続けて関数名を入力し，その後ろに引数をカッコではさんで指定する。

関数の書式 ＝関数名（引数 1，引数 2，引数 3，………引数 n ）

引数

計算や処理に必要な数値や文字などのデータのこと。関数によって使用する種類や数が異なる。

例題6 関数を使ってみよう

ファイル名「文化祭会計」の「売上金額」シートを開き，次のように変更してみよう。なお，セル G8 〜 H11 には関数を，I3 〜 I7 には計算式を設定すること。

（ファイル名「文化祭会計」）

	A	B	C	D	E	F	G	H	I
1			食品部門売上実績						
2	番号	団体名	品名	価格	1日目	2日目	合計	売上金額	割合
3	1	2年A組	カレーライス	¥300	253	328	581	174,300	37.5%
4	2	2年B組	焼きそば	¥200	243	300	543	108,600	23.4%
5	3	2年C組	じゃがバター	¥200	128	140	268	53,600	11.5%
6	4	2年D組	フランクフルト	¥150	262	275	537	80,550	17.3%
7	5	2年E組	クレープ	¥150	154	162	316	47,400	10.2%
8						合計	2,245	464,450	
9						平均	449	92,890	
10						最大	581	174,300	
11						最小	268	47,400	

▶リンク

**本書で扱う表計算ソ
フトの関数**
(→見返し(4))

1 ▶ SUM 関数を使って合計を求める

①下記のようにセル F8 ～ H11 および I2 ～ I7 にデータを入力し,罫線を設定する。

	A	B	C	D	E	F	G	H	I
1			食品部門売上実績						
2	番号	団体名	品名	価格	1日目	2日目	合計	売上金額	割合
3	1	2年A組	カレーライス	¥300	253	328	581	174,300	
4	2	2年B組	焼きそば	¥200	243	300	543	108,600	
5	3	2年C組	じゃがバター	¥200	128	140	268	53,600	
6	4	2年D組	フランクフルト	¥150	262	275	537	80,550	
7	5	2年E組	クレープ	¥150	154	162	316	47,400	
8							合計		
9							平均		
10							最大		
11							最小		

○ SUM 関数
= SUM(G3：G7)

ここから　ここまで
を合計する。
合計する範囲が離れ
ているときは「,(カン
マ)」で区切りを入れ
て,次の範囲を指定
する。

②セル G8 を選択する。[ホーム]-Σ(オート SUM)をクリックする。セル G8 に
は「= SUM(G3：G7)」と表示される。合計する範囲が正しいことを確認し,
Enter を押す。

2 ▶ AVERAGE 関数を使って平均を求める

○ AVERAGE 関数
=AVERAGE(G3:G7)

ここから　ここまで
を平均する。

①セル G9 を選択する。[ホーム]-Σ(オート SUM)の右にある▼をクリック
し,表示されたメニューから[平均(A)]をクリックする。セル G9 には
「= AVERAGE(G3：G8)」と表示される。

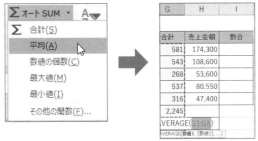

❶
範囲の変更は表示さ
れている計算式をク
リックし,セル G8
を G7 にしてもよい。

②平均する範囲が違っているので,範囲を変更する。上記の表示の状態でセル G3
～ G7 をドラッグする❶と,セル G9 の表示は「= AVERAGE(G3：G7)」に変わる。
Enter を押すと確定する。

G	H	I
合計	売上金額	割合
581	174,300	
543	108,600	
268	53,600	
537	80,550	
316	47,400	
2,245		
=AVERAGE(G3:G7)		
AVERAGE(数値1, [数値2],...)		

F	G	H	I
実績			
2日目	合計	売上金額	割合
328	581	174,300	
300	543	108,600	
140	268	53,600	
275	537	80,550	
162	316	47,400	
合計	2,245		
平均	449		
最大			

■3 ▶ MAX 関数で最大値を，MIN 関数で最小値を求める

○ MAX 関数

$= MAX(G3 : G7)$

ここから ここまで
の中で最大値を表示
する。

①セル G10 を選択する。[ホーム]−∑(オート SUM)の右にある▼をクリックし，表示されたメニューから[**最大値(M)**]をクリックする。セル G10 には「= MAX(G3:G9)」と表示される。正しい範囲(セル G3 〜 G7)に変更し，Enterを押す。

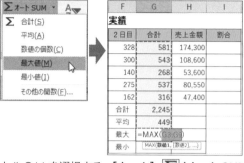

○ MIN 関数

$= MIN(G3 : G7)$

ここから ここまで
の中で最小値を表示
する。

②セル G11 を選択する。[ホーム]−∑(オート SUM)の右にある▼をクリックし，表示されたメニューから[**最小値(I)**]をクリックする。セル G11 には「= MIN(G3:G10)」と表示される。正しい範囲(セル G3 〜 G7)に変更し，Enterを押す。

③オートフィル機能を使って計算式をまとめてコピーする。セル G8 〜 G11 を選択し，セル G11 の右下にあるフィルハンドルにマウスポインターを合わせてドラッグし，セル H8 〜 H11 に計算式をコピーする。

F	G	H	I
実績			
2日目	合計	売上金額	割合
328	581	174,300	
300	543	108,600	
140	268	53,600	
275	537	80,550	
162	316	47,400	
合計	2245		
平均	449		
最大	581		
最小	268		

F	G	H	I
実績			
2日目	合計	売上金額	割合
328	581	174,300	
300	543	108,600	
140	268	53,600	
275	537	80,550	
162	316	47,400	
合計	2245	464450	
平均	449	92890	
最大	581	174300	
最小	268	47400	

④セル G8 〜 H11 を選択し，桁区切りスタイルを設定する。

F	G	H	I
実績			
2日目	合計	売上金額	割合
328	581	174,300	
300	543	108,600	
140	268	53,600	
275	537	80,550	
162	316	47,400	
合計	2,245	464,450	
平均	449	92,890	
最大	581	174,300	
最小	268	47,400	

各団体の売上金額が総売上金額のどれぐらいを占めるか，その割合を計算してみよう。

①セル I3 を選択し，「＝ H3/」と入力する。

H	I
売上金額	割合
174,300	=H3/

②総売上金額が入力されているセル H8 を選択する。このあとオートフィル機能を使って計算式をコピーするので，H8 番地が自動的に変わらないように絶対参照の指定をする。❶ F4 を1度押すとセル H8 が $H$8 に変わる。 Enter を押すと結果が表示される。

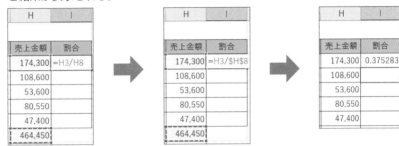

③セル I4 ～ I7 までオートフィル機能を使って計算式をコピーする。コピー後，[ホーム]－ **%** （パーセントスタイル）をクリックする。％表示に変わる。さらに **←.0 .00** （小数点以下の表示桁数を増やす）を1度クリックする。小数点以下の数値が表示される。

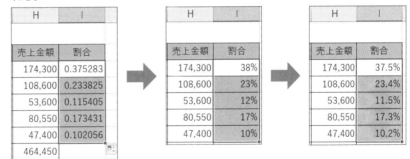

プラスアルファ 相対参照と絶対参照

計算式のコピーをすると，相対的にセル番地が自動的に変わることを p.78 で学習した。そのためセル H8 に絶対参照の指定をしないまま計算式をコピーすると，結果は下記の通りになる。割られる数は H3 → H4 ・・・と変わる必要があるが，割る数は常にセル H8 でなければならない。そこでセル I3 で計算式を設定するときに，セル H8 を絶対参照にしなければならない。

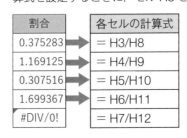

セル I7 に表示された「#DIV/0!」は「0 では割り算ができない」というエラーメッセージである。セル H12 にデータが何も入力されていないので，このように表示された。

❶
式の中で，セル番地にカーソルがある状態で F4 を押す。押すたびに下記のように参照方法が変わる。
H8
↓　 F4 を押す
$H$8　行列固定
↓　 F4 を押す
H$8　行固定
↓　 F4 を押す
$H8　列固定
↓　 F4 を押す
H8　元に戻る
F4 を押さずに直接「$」をキーボードから入力してもよい。

○ 数値の表示形式
通貨表示形式
　パーセントスタイル
　桁区切りスタイル

小数点以下の表示桁数を増やす／減らす

3 章

例題7　小数点以下を処理する関数を使ってみよう

　ファイル名「小数点以下の処理」(ひな形データ)を開き，セル B2 に数値を入力したら，セル B5 ～ B8 に計算結果が表示されるように関数を設定してみよう。

（ファイル名「小数点以下の処理」）

	A	B
1		
2	数値を入力	123.456
3		
4	計算結果	
5	整数	123
6	四捨五入	123.5
7	切り上げ	123.5
8	切り捨て	123.4

1　INT 関数を使って整数値を表示する

○ 関数の入力方法
関数は[ホーム]−Σ(オート SUM)の右にある▼をクリックする以外にもさまざまな入力方法がある。関数を呼び出すよりも直接セルに関数名を入力したほうが簡単な場合もあるので，状況に応じて使い分けるようにしよう。

① セル B5 を選択し，キーボードから「= int(」と入力する。

4	計算結果	
5	整数	=int(
6	四捨五入	INT(数値)

② セル B2 をクリックし，続けてキーボードから「) 」を入力する。

	A	B
1		
2	数値を入力	123.456
3		
4	計算結果	
5	整数	=int(B2)

③ Enter を押すと結果が表示される。

4	計算結果	
5	整数	123
6	四捨五入	

2　ROUND 関数を使って四捨五入した値を表示する

❶
[数式]−[数学/三角]
から選択することもできる。

① セル B6 を選択し，数式バーにある fx (関数の挿入)をクリックする。❶

② [関数の挿入]のダイアログボックスが表示される。[最近使った関数]の中にROUND 関数がある場合は，関数名をクリック後，OK をクリックする。ない場合には[関数の分類(C):]の右にある▽をクリックし，[すべて表示]に切り替える。

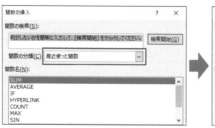

③「関数名(N)：」の中はアルファベット順に表示されている。キーボードにある R を押す。

R で始まる関数まで移動する。スクロールして ROUND を探す。見つけたら選択し，OK をクリックする。

④[関数の引数]のダイアログボックスが表示される。[数値]のボックス内をクリック後，データがあるセル B2 をクリックする。次に[桁数]のボックスの中をクリック後，「1」と入力する。

指定した 1 は表示する桁数である。この場合，小数第 2 位を四捨五入して小数第 1 位までを表示する。

⑤ OK をクリックすると，計算結果が表示される。

4	計算結果	
5	整数	123
6	四捨五入	123.5

⊞α プラスアルファ　小数点以下を処理する関数

関数名	機能	書式
INT	指定した数値を超えない整数値にする。	＝INT(数値)
ROUND	数値を四捨五入する。	＝ROUND(数値，桁数)
ROUNDUP	数値を切り上げる。	＝ROUNDUP(数値，桁数)
ROUNDDOWN	数値を切り捨てる。	＝ROUNDDOWN(数値，桁数)

※数値や桁数の箇所は，セル番地や計算式を入力してもよい。

※桁数は表示する桁数を指定する。

類題 2　**ROUNDUP 関数，ROUNDDOWN 関数を使ってみよう**　ファイル名：小数点以下の処理

　同様の手順で，セル B7 には ROUNDUP 関数を，セル B8 には ROUNDDOWN 関数を設定してみよう。

　設定後，上書き保存しよう。

例題 8　関数を使って順位を付けてみよう

　ファイル名「試食会」（ひな形データ）を開き，合計点の高い順に順位を表示するように関数を使って設定してみよう。完成後，上書き保存しよう。

（ファイル名「試食会」）

	A	B	C	D	E	F	G	H	I
1	模擬店試食会アンケート集計結果								
3	番号	品名	味	量	盛り付け	原価価格	調理時間	合計	順位
4	1	焼きそば	92	79	81	95	80	427	5
5	2	たこ焼き	78	85	83	94	78	418	7
6	3	ホットドッグ	88	90	86	78	88	430	4
7	4	カレーライス	89	90	85	88	94	446	1
8	5	じゃがバター	69	78	81	74	79	381	10
9	6	豚汁	83	85	80	91	95	434	3
10	7	パンケーキ	75	68	91	79	83	396	8
11	8	マカロン	69	71	80	82	89	391	9
12	9	ポップコーン	85	85	86	89	92	437	2
13	10	おしるこ	73	82	84	88	93	420	6

1 ▶ RANK.EQ 関数を使って順位を表示する

①セル I4 を選択し，数式バーにある f_x（**関数の挿入**）をクリックする。

!注意

[**関数の引数**]のダイアログボックスが表の上にあってセルをクリックできないときには，ボックスのタイトルバーをドラッグし，任意の位置へ移動させてから選択する。

!注意

この後，オートフィル機能を使って計算式をコピーするため，「H4：H13」が変わらないように絶対参照の指定をする。

○ 降順と昇順

数値の大きい順を**降順**，数値の小さい順を**昇順**という。

②[**関数の挿入**]のダイアログボックスが表示される。RANK.EQ 関数を選択し，OK をクリックする。

③[**関数の引数**]のダイアログボックスが表示される。数値のボックスの中をクリックした後，セル H4 をクリックする。

④[**参照**]のボックスの中をクリック後，順位を付ける範囲（セル H4 〜 H13）をドラッグする。[**参照**]の欄には「H4：H13」と表示される。そのまま F4 を押し，絶対参照の指定をする。

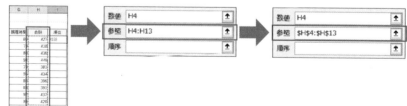

⑤[**順序**]のボックスの中をクリックし，「0」と入力する。OK をクリックすると結果が表示される。

オートフィル機能を使ってセル I5 〜 I13 に計算式をコピーする。

RANK.EQ 関数
　＝ RANK.EQ（数値，参照，順序）

　　　この数値は　この範囲の中で　0（**降順**）か0以外の数値（**昇順**）を指定して順位を表示

86 ● 3章 Excel

<table>
<tr><td colspan="2">例題9</td><td>条件判定してみよう</td></tr>
</table>

例題8で作成したファイル名「試食会」を開き，候補1と候補2の列を追加し，条件に合うものに文字が表示されるように関数を使って設定してみよう。

（ファイル名「試食会」）

	A	B	C	D	E	F	G	H	I	J	K
1	模擬店試食会アンケート集計結果										
2												
3	番号	品名	味	量	盛り付け	原価価格	調理時間	合計	順位	候補1	候補2
4	1	焼きそば	92	79	81	95	80	427	5	○	決定
5	2	たこ焼き	78	85	83	94	78	418	7	○	
6	3	ホットドッグ	88	90	86	78	88	430	4	○	
7	4	カレーライス	89	90	85	88	94	446	1	○	決定
8	5	じゃがバター	69	78	81	74	79	381	10	×	
9	6	豚汁	83	85	80	91	95	434	3	○	
10	7	パンケーキ	75	68	91	79	83	396	8	×	
11	8	マカロン	69	71	80	82	89	391	9	×	
12	9	ポップコーン	85	85	86	89	92	437	2	○	決定
13	10	おしるこ	73	82	84	88	93	420	6	○	

1 ▶ IF 関数を使って条件判定をする

ここでは合計が 400 以上の場合○を，それ以外は×を表示するように設定してみよう。

❶
[数式]‐[論理]から選択することもできる。

①セル J4 を選択し，数式バーにある f_x (関数の挿入)をクリックする。❶

②[関数の挿入]のダイアログボックスが表示される。IF 関数を選択し，OK をクリックする。

!注意
表示する文字は"(ダブルコーテーション)で囲む必要があるが，ボックス内に文字を入れると自動的に追加されるようになっている。
セルに直接入力するときは付けることを忘れないようにしよう。
なお，文字表示ではなく，計算式を設定することもできる。

③[関数の引数]のダイアログボックスが表示される。
[論理式]のボックスに「H4 >= 400」と入力する。
[値が真の場合]のボックスに「○」と入力する。[値が偽の場合]のボックス内をクリックすると自動的に"○"に変化する。
[値が偽の場合]のボックスに「×」と入力する。入力後 OK をクリックすると，結果が表示される。
数式バーには「= IF(H4 >= 400,"○","×")」と入力されている。

④オートフィル機能を使ってセル J5 ～ J13 に計算式をコピーする。

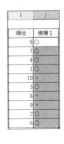

IF 関数
= IF(論理式，値が真の場合，値が偽の場合)

　　　　　条件　あてはまる場合　あてはまらない場合

条件で使用している数学の不等号などの記号は**比較演算子**と呼ぶ。数学とは異なり，Excel では下表のように並べて入力する。

記号	意味	記号	意味
=	左辺と右辺が等しい	>=	左辺が右辺以上である
>	左辺が右辺より大きい	<=	左辺が右辺以下である
<	左辺が右辺より小さい(右辺未満)	<>	左辺と右辺が等しくない

例題9では○と×の2つに分類したが，○，△，×の3つに分けることも可能である。この場合は IFS 関数を使用すればよい。

(例)＝ IFS(H4 >= 420, "○", H4 >= 400, "△", H4 < 400, "×")

2　AND 関数を使って複数条件を指定する

ここでは味が85以上かつ原価価格が85以上の場合，「決定」という文字を表示し，それ以外は何も表示しないように設定してみよう。

①セル K4 を選択し，f_x（関数の挿入）をクリックする。

②[関数の挿入]のダイアログボックスが表示されたら，IF 関数を選択し， OK をクリックする。

③[関数の引数]のダイアログボックスが表示される。

[論理式]のボックスに「AND(C4>= 85, F4 >= 85)」と入力する。

[値が真の場合]のボックスに「決定」と入力する。

[値が偽の場合]のボックスに「""」(半角でダブルコーテーション2つ)を入力する。入力後 OK をクリックすると，結果が表示される。

数式バーには「＝ IF(AND(C4 >= 85, F4 >= 85), "決定", "")」と入力されている。

> !注意
> 何も文字を表示しないときは，「"（ダブルコーテーション）」を2つ連続で入力する。空欄のままにはしないこと。

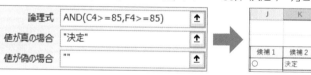

④オートフィル機能を使ってセル K5 ～ K13 に計算式をコピーする。

条件にあてはまるかどうかを判断する関数で IF 関数や AND 関数などがある。条件をまとめるときには下表のように使用する。なお，OR 関数および NOT 関数は上記と同様に論理式に入力すればよい。

> !注意
> AND と OR は 255 まで引数を指定できるが，NOT は1つの条件しか指定できない。

関数名	意味	書式	例
AND	すべての条件を満たす	＝AND(引数1，引数2…)	＝AND(C4=80,F4=80)
OR	どれか1つの条件を満たす	＝OR(引数1，引数2…)	＝OR(C4=80,F4=80)
NOT	条件を否定する	＝NOT(論理式)	＝NOT(C4>=80)

例題10 入力や集計に便利な関数を使ってみよう

ファイル名「希望調査」(ひな形データ)を開き, コードを入力したら, 企画名が表示されるように関数を使って設定しよう。また, 関数を使って集計もしてみよう。

(ファイル名「希望調査」)

	A	B	C	D	E	F	G	H
1	文化祭クラス企画希望調査							
2								
3	氏名	性別	コード	企画		コード	企画	集計
4	青山 貴史	男	3	模擬店		1	演劇	5
5	井上 健一	男	2	ダンス		2	ダンス	12
6	内田 博樹	男	4	お化け屋敷		3	模擬店	8
7	榎本 俊介	男	5	迷路		4	お化け屋敷	6
8	岡田 準一	男	2	ダンス		5	迷路	4
9	川上 雅之	男	3	模擬店				
10	木村 剛	男	4	お化け屋敷		総数	35	
11	熊田 義彦	男	1	演劇		男	18	
12	小杉 俊哉	男	2	ダンス		女	17	

1 ▶ VLOOKUP 関数を使ってコードを元にデータを検索して入力をする

①セル D4 を選択し, fx (関数の挿入)をクリックする。

❶
[数式]-[検索/行列] から選択することもできる。

②[関数の挿入]のダイアログボックスが表示されたら, VLOOKUP 関数を選択し❶, OK をクリックする。

③[関数の引数]のダイアログボックスが表示される。[検索値]のボックスの中をクリックし, 「C4」を入力する。

④[範囲]のボックスの中をクリックする。セル F4 〜 G8 をドラッグする。ボックスには「F4：G8」と表示される。そのまま F4 を押し, 絶対参照の指定をする。

！注意
この後, オートフィル機能を使ってセル D5 以降に計算式をコピーするため, 「F4：G8」が変わらないように絶対参照の指定をする。

⑤[列番号]のボックスに「2」と入力する。これは指定した F4：G8 の範囲 2 列目という意味である。

[検索方法]❷には「FALSE」と入力する。

❷ 検索方法
検索値が見つからなかったときの処理を指定する。

FALSE
完全一致した場合のみ値を返す。一致するものがないときには「#N/A」を返す。

TRUE
一致する値がない場合は検索値未満の最大値を返す。

1 列目　2 列目

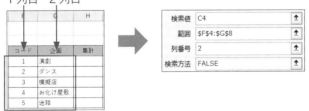

⑥ OK をクリックすると, セル D4 には「模擬店」と表示される。正しく設定できていることを確認したら, セル D5 〜 D38 にオートフィル機能を使って計算式をコピーする。

○ VLOOKUP 関数
縦方向に上から下へ検索を行う。例題は F 列に一致する数値があれば, G 列の値を返す。

VLOOKUP 関数
　= VLOOKUP(検索値, 範囲, 列番号, 検索方法)

＋α プラスアルファ　HLOOKUP 関数

横方向に左から右へ検索を行いたいときは，HLOOKUP 関数を使用する。

	A	B	C	D	E	F	G	H	I	J	K	
1	修学旅行希望調査											
2												
3	番号	氏名	性別	コード	行先		コード	1	2	3	4	← 1行目
4	1	青山　貴史	男	2	四国		行先	北海道	四国	九州	沖縄	← 2行目
5	2	井上　健一	男	1	北海道							
6	3	内田　博樹	男	3	九州							

HLOOKUP 関数
　＝ HLOOKUP(検索値，範囲，行番号，検索方法)
（例）＝ HLOOKUP(D4,$G$3:$K$4,2,FALSE)　　（セル E6 までコピー）

2 COUNT 関数，COUNTA 関数を使ってデータの個数を数える

①セル G10 を選択する。[ホーム]−∑(オート SUM)の右にある▼をクリックし，表示されたメニューから[数値の個数(C)]をクリックする。セル G10 には「＝ COUNT(C10:F10)」と表示される。個数を数えるセル範囲 C4 ～ C38 をドラッグする。Enter を押すと結果を表示する。

○ COUNT 関数
＝COUNT(C4:C38)

ここから　ここまでの数値データの個数を数える。文字データや空白セルは数えない。

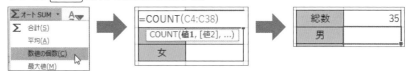

②セル G11 を選択し，fx (関数の挿入)をクリックする。
③[関数の挿入]のダイアログボックスが表示されたら，COUNTA 関数を選択し，OK をクリックする。

○ COUNTA 関数
＝COUNTA(B4:B21)

ここから　ここまでの空白以外の全データの個数を数える。

③[関数の引数]のダイアログボックスが表示される。[値 1]のボックス内をクリックし，「男」の文字が入力されているセル B4 ～ B21 の範囲をドラッグする。OK をクリックすると結果が表示される。セル G12 を選択し，同様の手順で「女」のデータが入力されているセル B22 ～ B38 の範囲をドラッグして設定する。

3 COUNTIF 関数を使って条件にあてはまるデータの個数を数える

演劇を希望している人数を数えよう。
①セル H4 を選択し，fx (関数の挿入)をクリックする。

コード	企画	集計
1	演劇	

②[関数の挿入]のダイアログボックスが表示されたら，COUNTIF 関数を選択し，OK をクリックする。

③[関数の引数]のダイアログボックスが表示される。[範囲]のボックス内をクリックし，セル D4 ～ D38 の範囲をドラッグする。そのまま F4 を押し，絶対参照の指定をする。
次に[検索条件]のボックス内をクリックし，セル G4 の指定をする。

！注意
この後，オートフィル機能を使ってセル H5 以降に計算式をコピーするため，「D4：D38」が変わらないように絶対参照の指定をする。

④ OK をクリックすると，セル H4 に結果が表示される。

⑤オートフィル機能を使って，セル H5 ～ H8 に計算式を
コピーする。

コード	企画	集計
1	演劇	5

コード	企画	集計
1	演劇	5
2	ダンス	12
3	模擬店	8
4	お化け屋敷	6
5	迷路	4

COUNTIF 関数
= COUNTIF(範囲，検索条件)

この範囲の中から　　検索条件に一致したセルの数を数える。
検索条件はセル番地だけでなく，文字や数式も指定できる。その場合は"（ダブルコーテーション）で条件をくくる。
(例)文字の場合　　"演劇"　　演劇という文字が入力されているセルの数を数える。
　　　数式の場合　　">＝50"　　50 以上の数値データが入力されているセルの数を数える。

類題 3　いろいろな関数を使ってみよう　　　　　　　ファイル名：打率表

ファイル名「打率表」(ひな形データ)を開き，下記の条件に基づき表を完成させよう。

A	B	C	D	E	F	G	H	I
			硬式野球部　打率表					
番号	氏名	学年	先月打率	打席数	安打数	打率	動向	順位
1	飯塚　晃己	3	0.301	88	27			
2	永瀬　匠	2	0.300	90	26			
3	山田　三郎	2	0.378	87	32			
4	武田　宏大	3	0.354	92	36			
5	橋本　彰浩	3	0.298	95	30			
6	田村　洋一	2	0.298	85	25			
7	上島　雄介	1	0.312	81	26			
8	岡田　真	3	0.312	79	24			
9	松坂　浩二	1	0.385	80	33			
10	村田　和生	3	0.287	35	10			
11	千葉　浩哉	3	0.268	30	8			
12	宮田　貴志	1	0.302	20	6			
13	坂本　明雄	2	0.212	24	5			
14	大橋　健太	1	0.235	22	5			
15	後藤　雅明	2	0.212	28	6			
16	望月　大輔	3	0.251	32	8			
17	内藤　義彦	2	0.232	18	4			
18	桜井　修史	2	0.198	19	4			
		平均						
		最高						
		最低						

(条件)
①セル G4 ～ G21 は，安打数を打席数で割る。
②22 行目は，各列の平均を表示する。
③23 行目は，各列の最大値を表示する。
④24 行目は，各列の最小値を表示する。
⑤D 列および G 列は，小数第 3 位まで表示する。
⑥E 列および F 列は，小数点以下を表示しない。
⑦H 列は，打率 (G 列) が先月打率 (D 列) よりも高く，打率が 0.28 以上の場合，「好調」という文字を表示するように設定する。なお，「」は表示させなくてよい。
⑧I 列は，打率が高い順に順位が表示されるように設定する。
⑨完成後，上書き保存すること。

4. グラフの作成

グラフを作ってみよう

これで解決！

　グラフを作成すると，表で作成した内容を視覚的に表現できるのでデータを分析しやすくなります。しかし，グラフタイトルがなかったり，単位が表示されていなければ，そのグラフの内容をほかの人は理解することができません。グラフに必要な要素をきちんと設定しましょう。もちろんグラフを作成するにあたっては，データやその目的に応じて適切なグラフを選択することも重要です。ここでは，さまざまなグラフの作成方法について学習しましょう。

Keyword
グラフ要素
　グラフを構成する項目のこと。グラフ要素として下記のようなものがある。

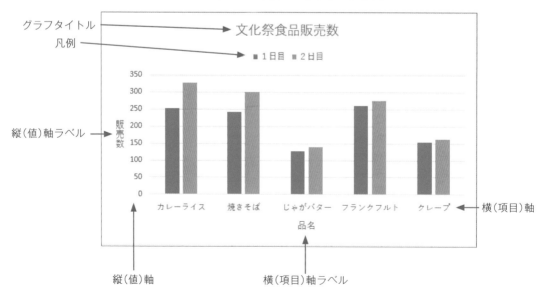

例題11 縦棒グラフを作成しよう

ファイル名「文化祭会計」の「販売数」シートを開き，縦棒グラフを作成してみよう。
（ファイル名「文化祭会計」）

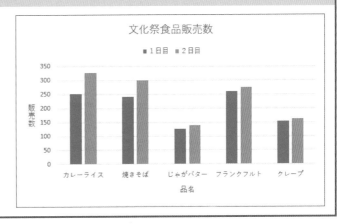

1 ▶ 縦棒グラフの作成

①グラフにする範囲を選択する。ここでは，セル C2 ～ E7 の範囲を選択する。

	A	B	C	D	E
1			**食品部門販売数**		
2	番号	団体名	品名	1日目	2日目
3	1	2年A組	カレーライス	253	328
4	2	2年B組	焼きそば	243	300
5	3	2年C組	じゃがバター	128	140
6	4	2年D組	フランクフルト	262	275
7	5	2年E組	クレープ	154	162

②［挿入］－ （縦棒/横棒グラフの挿入）の右にある ▼ をクリックし，表示された中から集合縦棒グラフをクリックする。

③縦棒グラフが作成される。

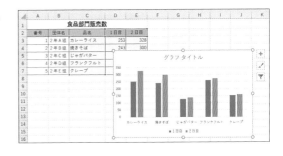

2 ▶ グラフの移動

作成したグラフを表の隣りに移動する。グラフの中にマウスポインターを置くと形が に変わる。

この状態でグラフを表の隣りまでドラッグ＆ドロップする。

！注意

マウスポインターはグラフの要素のない部分に置くこと。

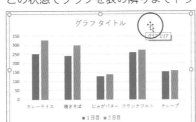

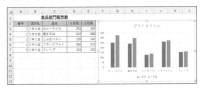

3
章

3 ▶ グラフの拡大と縮小

グラフを拡大または縮小するときはグラフの枠にある○（サイズ変更ハンドル）の上にマウスポインターを置く。形が↖↘に変わったらドラッグすると拡大または縮小ができる。

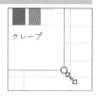

4 ▶ グラフタイトル

「グラフタイトル」の枠の中をクリックすると，カーソルが表示される。不要な文字を削除後，「文化祭食品販売数」と入力する。

5 ▶ 凡例の移動

① グラフ右上にある ＋（**グラフ要素**）をクリックする。

② 表示された項目の中から[**凡例**]❶にマウスポインターを合わせ，▶ をクリックする。次に，「上」をクリックすると，凡例が上に移動する。

❶ 凡例

色分けされているグラフの各系列が何を表しているかを示している。

！注意

＋（**グラフ要素**）のボタンはグラフを選択していないと表示されない。

6 ▶ 軸ラベルの表示と編集

① グラフ右上にある ＋（**グラフ要素**）をクリックする。

② 表示された項目の中から[**軸ラベル**]の□の中をクリックし，✔ を表示させる。軸レベルが表示される。

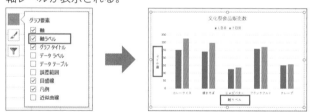

③ 横軸ラベルの文字を変更する。「軸ラベル」と表示された枠をクリックし，不要な文字を削除後，「品名」と入力する。

④ 縦軸ラベルの文字方向を変更する。「軸ラベル」という文字を選択後，右クリックし，[**軸ラベルの書式設定(F)**]をクリックすると，[**軸ラベルの書式設定**]の作業ウィンドウが表示される。▣（**サイズとプロパティ**）をクリックし，「文字列の方向(X)」の▼をクリックして，「縦書き」に変更すると，文字方向が縦に変更される。「軸ラベル」の文字を削除し，「販売数」に変更する。

　ファイル名「文化祭会計」の「売上金額」シート
を開き，販売合計数の割合を表示する円グラフ
を作成してみよう。
　　　　　　　　　（ファイル名「文化祭会計」）

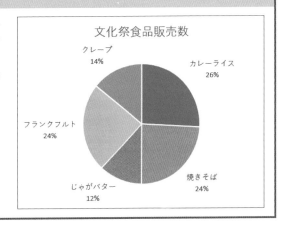

■ 1 ▶ 円グラフの作成

○ 離れたデータの選択

グラフにするデータ
が離れているときに
は，最初のデータ範
囲を選択後，離れて
いるデータは Ctrl
を押しながらドラッ
グする。

①グラフにする範囲を選択する。セル
C2 ～ C7 をドラッグする。続けて
 Ctrl を押しながら，セル G2 ～
G7 をドラッグする。

②[挿入]−🥧(円またはドー
ナツグラフの挿入)の右に
ある▼をクリックし，表
示された中から円グラフを
クリックする。

③円グラフが作成される。グラフ右上にある➕(グラ
フ要素)をクリックする。
　表示された項目の中から[凡例]の✔を外す。次に
[データラベル]❷に✔を入れ，さらに▶をクリック
する。表示された項目の中から[その他のオプション]
をクリックする。

④[データラベルの書式設定]の作業ウィンドウが表示される。

❷ データラベル

値や割合などを示す
数値や分類名などを
グラフにラベルとし
て設定することがで
きる。

○ グラフスタイル

Excel には，あらか
じめデザインされた
グラフスタイルが用
意されている。この
中からデザインを選
択して設定すること
もできる。
[グラフのデザイン]
からグラフスタイル
グループにある各ス
タイルをクリックす
る。

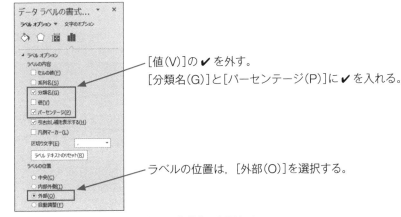

[値(V)]の✔を外す。
[分類名(G)]と[パーセンテージ(P)]に✔を入れる。

ラベルの位置は，[外部(O)]を選択する。

⑤グラフタイトルを「文化祭食品販売数」に変更する。

Excel では目的に応じてさまざまなグラフを作成することができる。ここでは，おもなグラフの特徴を紹介する。

(1) **棒グラフ**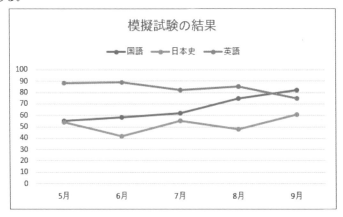
データの大小や時間ごとの増減などを比較するのに適している。
（例） 2010 年から今年までの文化祭入場者数を表すグラフ

(2) **折れ線グラフ**
時間の経過とともに変化するデータの推移を表すのに適している。
（例） 北海道，東京，沖縄の 1 月から 12 月までの平均気温の変化を表すグラフ

(3) **円グラフ**
全体に含まれる各項目がそれぞれどのくらいの割合を占めているのかを表すのに適している。
（例） 部活動予算が各部にどのくらい配付されたかを表すグラフ

(4) **ウォーターフォール図，じょうごグラフ，株価チャート，等高線グラフ，レーダーチャート**
レーダーチャートは，全体のバランスを見たり，複数の項目を比較したりするのに適している。
（例） 食事の栄養バランスを表示するグラフ

類題 4 折れ線グラフを作成しよう ファイル名：模擬試験

ファイル名「模擬試験」(ひな形データ)を開き，次の表を作成後，折れ線グラフを作成しよう。完成後，上書き保存しよう。

	A	B	C	D	E	F	G	H	I
1	模擬試験得点推移								
2									
3	受験科目	5月	6月	7月	8月	9月	平均	最高	最低
4	国語	55	58	62	75	82			
5	日本史	54	42	55	48	61			
6	英語	88	89	82	85	75			

①セル G4 ～ I6 は，それぞれ関数を使って結果が表示されるように設定する。
②セル G4 ～ G6 は，小数第 1 位まで表示するように設定する。
③作成するグラフは，次の通りである。

グラフタイトル：
「模擬試験の結果」
凡例：上

ファイル名「得点集計表」（ひな形データ）を開き，レーダーチャートと積み上げ横棒グラフを作成しよう。完成後，上書き保存しよう。

なお，セルG4～H12には関数を使って結果が表示されるように設定しよう。

	A	B	C	D	E	F	G	H
1	文化祭クラス企画得点集計表							
2								
3	クラス	演技	脚本	装飾	感動度	団結度	合計	順位
4	1年1組	65	73	72	72	68		
5	1年2組	78	81	58	79	89		
6	1年3組	69	71	65	67	81		
7	2年1組	70	74	63	65	70		
8	2年2組	76	75	64	61	84		
9	2年3組	77	89	85	63	78		
10	3年1組	86	92	85	86	82		
11	3年2組	81	82	78	81	88		
12	3年3組	79	89	62	72	71		

①1年1組と1年2組の審査結果を比較するレーダーチャートを作成する。
グラフタイトル：「審査結果比較」
凡例：下

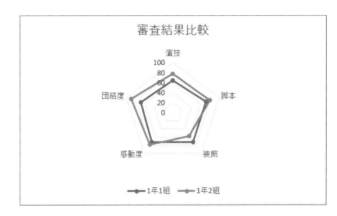

②1年1組から3年3組までの審査員得点集計結果を表す積み上げ横棒グラフを作成する。
グラフタイトル：「審査員得点集計結果」　　凡例：上　　データラベルとして得点を表示すること。

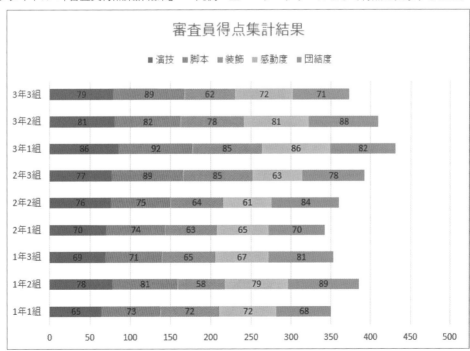

5. データの並べ替えと抽出

データを並べ替えてみよう

時間がかかったけど部活の部員名簿をExcelで何とか作れた！

ミノルくん せっかくできた名簿に何してるの？

そんな時間のかかる方法よりデータの並べ替えをすれば一瞬でできるよ

データの並べ替えができるんですか？

やっぱり五十音順のほうがよかったかなぁ…

五十音順に並べ替えることにしたので入力したデータを一つ一つドラッグして移動しているんです

いつのまにマジシャン！…

ぜひ教えてください！

そっちじゃなくて…

ほーらほら♪

これで解決！

　Excel には入力したデータを必要に応じて並べ替える機能があります。また，条件に合うデータだけを抽出する機能も用意されています。ここでは，Excel に用意されている便利なデータベース機能について学習しましょう。

Keyword

データベース

　ある目的のために一定の形式で作成し，管理されているデータのまとまりのこと。

　業務などで大量のデータを扱う場合は，専用のデータベースソフトを使用することが多いが，個人が管理する程度のデータ件数であれば表計算ソフトでも十分に扱うことができる。データベースでは1件分のデータを**レコード**といい，Excel では1行のデータがこれに該当する。それぞれの列は**フィールド**といい，表の先頭行にある各列の見出しを**列見出し**という。

列見出し　　　　　　　　　　　　　　　フィールド

レコード→

番号	氏名	フリガナ	学年	守備位置	背番号	出身中学	住所1	住所2
1	飯塚　晃己	イイヅカ　コウキ	3	投手	1	西大久保	新宿区	西大久保○丁目○番地×－×
2	武田　宏大	タケダ　コウダイ	3	内野手	4	戸山	新宿区	戸山○丁目○番地×－×
3	橋本　彰浩	ハシモト　アキヒロ	3	内野手	5	神宮	渋谷区	渋谷区神宮前○丁目○番地×－×

ソート

　複数のデータから構成されている表を，ある規則に基づいて順番通りになるように並べ替えること。数値の大きい順または小さい順に並べたり，氏名の五十音順に並べたりすることなど，さまざまな並べ替えができる。

オートフィルター

　指定した条件に合うデータだけを抽出する機能。さまざまな条件を指定することができる。

·例題 **13** データを並べ替えてみよう

ファイル名「部員名簿」(ひな形データ)を開き，条件に基づいてデータを並べ替えてみよう。
（ファイル名「部員名簿」）

番号	氏名	フリガナ	学年	守備位置	背番号	出身中学	住所1	住所2
			硬式野球部　部員名簿					
1	飯塚　晃己	イイヅカ　コウキ	3	投手	1	西大久保	新宿区	西大久保○丁目○番地×××
2	庄田　宏大	タケダ　コウダイ	3	内野手	7	戸山	新宿区	戸山○丁目○番地×××
3	橋本　彰浩	ハシモト　アキヒロ	3	内野手	5	神宮	渋谷区	渋谷区神宮前○丁目○番地×××
4	岡田　真	オカダ　マコト	3	外野手	8	番町	千代田区	五番町○丁目○番地×××
5	村田　和生	ムラタ　カズオ	3	投手	10	秋葉原	台東区	秋葉原○丁目○番地×××
6	千葉　浩哉	チバ　ヒロヤ	3	内野手	11	千石	文京区	千石○丁目○番地×××
7	望月　大輔	モチヅキ　ダイスケ	3	投手	16	大塚	豊島区	大塚○丁目○番地×××
8	中島　良和	ナカジマ　ヨシカズ	1	捕手	19	東池袋	豊島区	東池袋○丁目○番地×××
9	徳山　雅治	トクヤマ　マサハル	1	内野手	20	洗足	千代田区	洗足町○丁目○番地×××
10	木村　正広	キムラ　マサヒロ	3	外野手	21	南楽園	豊島区	南楽園○丁目○番地×××

！注意

選択するセルは，表の中のフリガナの列であればセル C3 以外でもかまわないが，1 つのセルだけを選択すること。

❶
[データ] - (昇順)
をクリックしてもよい。

❷
[データ] - (並べ替え)をクリックしてもよい。

○ 昇順と降順

昇順は，数値は小さいものから大きいものへ，アルファベットは A,B,C，ひらがなはアイウエオ順となる。
降順は，数値は大きいものから小さいものへ，アルファベットは Z,Y,X 順となる。

○ 表を元の順序に戻す
この表の場合は，A列に番号が入力されている。
ここを基準に，昇順に並べ替えれば元に戻る。

---

1 ▶ 1 つの条件を基準に並べ替える

名簿を五十音順に並べ替えてみよう。

①セル C3 を選択後，[ホーム] - (並べ替えとフィルター)をクリックする。

番号	氏名	フリガナ
1	飯塚　晃己	イイヅカ　コウキ

②表示されたメニューから[昇順(S)]をクリックする❶と，五十音順に表全体が並び替わる。

番号	氏名	フリガナ	学年	守備位置
			硬式野球部	
1	飯塚　晃己	イイヅカ　コウキ	3	投手
26	上島　雄介	ウエシマ　ユウスケ	1	外野手
31	遠藤　裕也	エンドウ　ユウヤ	1	投手

2 ▶ 複数の条件を基準に並べ替える

名簿が 3 年生から順に，五十音順で表示されるように並べ替えてみよう。

①表の中をクリックし，いずれか 1 つのセルを選択した状態にする。

②[ホーム] - (並べ替えとフィルター)をクリックし，表示されたメニューから[ユーザー設定の並べ替え(U)]をクリックする。❷

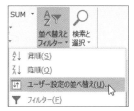

③[並べ替え]のダイアログボックスが表示される。最優先されるキーに「学年」，並べ替えのキーに「セルの値」，順序を「大きい順」に設定する。設定後 レベルの追加(A) をクリックする。

④設定条件が追加される。次に優先されるキーに「フリガナ」，並べ替えのキーに「セルの値」，順序を「昇順」に設定する。 OK をクリックすると，表全体が並び替わる。

番号	氏名	フリガナ	学年	守備位置	背番号	出身中学	住所1	住所2
			硬式野球部　部員名簿					
1	飯塚　晃己	イイヅカ　コウキ	3	投手	1	西大久保	新宿区	西大久保○丁目○番地×××
4	岡田　真	オカダ　マコト	3	外野手	8	番町	千代田区	五番町○丁目○番地×××
10	木村　正広	キムラ　マサヒロ	3	外野手	21	南楽園	豊島区	南楽園○丁目○番地×××

3章

ファイル名「部員名簿」(ひな形データ)を開き，オートフィルター機能を使って条件に合うデータだけを抽出してみよう。 (ファイル名「部員名簿」)

○ オートフィルター
データベースの中から指定した条件に該当するレコードだけを表示させる機能。**[データ]-（フィルター）**をクリックすると，オートフィルターを利用する状態になり，もう１度押すとオートフィルターの利用が解除される。

1 条件に合うデータのみを表示する

ここでは，守備位置が「投手」，住所１が「新宿区」のデータのみ表示してみよう。
①表の中をクリックし，いずれか１つのセルを選択した状態にする。
②[データ]- （フィルター）をクリックする。各列見出しの右に▼が表示される。

③セル E3「守備位置」にある▼をクリックし，表示された中から不要な ✔ を外し，「投手」にのみ ✔ を入れて， OK をクリックすると，「投手」のデータだけが表示される。

!注意
オートフィルターは条件に合うものだけを表示し，ほかのデータを非表示にしている。データが消えたわけではないので，フィルターを解除すればすべてのデータを見ることができる。

④続けてセル H3「住所１」にある▼をクリックし，表示された中から不要な ✔ を外し，「新宿区」にのみ ✔ を入れて， OK をクリックすると，「投手」で「新宿区」のデータだけが表示される。

○ トップテンオートフィルター

数値や日付が入力されている列では，上位または下位のデータを抽出することができる。

2 トップテンオートフィルター

ここでは，背番号１から９までのデータを抽出してみよう。
①表の中をクリックし，いずれか１つのセルを選択した状態にする。
②[データ]- （フィルター）をクリックする。各列見出しの右に▼が表示される。
③F3「背番号」にある▼をクリックし，**[数値フィルター(F)]-[トップテン(T)]**を選択する。

④[トップテンオートフィルター]のダイアログボックスが表示される。「下位9項目」に設定し、 OK をクリックする。

⑤背番号1から9までのデータが抽出される。

A	B	C	D	E	F	G	H	I
		硬式野球部　部員名簿						
番	氏名	フリガナ	学	守備位	背番	出身中	住所1	住所2
1	飯塚　晃己	イイヅカ　コウキ	3	投手	1	西大久保	新宿区	西大久保○丁目○番地××××
2	武田　宏大	タケダ　コウダイ	3	内野手	4	戸山	新宿区	戸山○丁目○番地××××
3	橋本　彰浩	ハシモト　アキヒロ	3	内野手	5	神宮	渋谷区	渋谷区神宮前○丁目○番地××××
4	岡田　真	オカダ　マコト	3	外野手	8	番町	千代田区	五番町○丁目○番地××××
14	永瀬　匠	ナガセ　タクミ	2	捕手	2	早稲田	新宿区	東早稲田○丁目○番地××××
15	山田　三郎	ヤマダ　サブロウ	2	内野手	3	東池袋	豊島区	東池袋○丁目○番地××××
16	田村　洋一	タムラ　ヨウイチ	2	内野手	6	原宿	渋谷区	渋谷区原宿○丁目○番地××××
26	上島　祥介	ウエシマ　ユウスケ	1	外野手	7	汐留	千代田区	汐路町○丁目○番地××××
27	松坂　浩二	マツザカ　コウジ	1	外野手	9	原宿	渋谷区	渋谷区原宿○丁目○番地××××

3 数値フィルター(オートフィルターオプション)

ここでは、背番号が10から18までのデータを抽出してみよう。

①表の中をクリックし、いずれか1つのセルを選択した状態にする。

②[データ]-▼(フィルター)をクリックする。各列見出しの右に▼が表示される。

③セルF3「背番号」にある▼をクリックし、[数値フィルター(F)]-[指定の範囲内(W)]を選択すると、[オートフィルターオプション]❶のダイアログボックスが表示される。「10以上AND18以下」に設定し、 OK をクリックする。

❶ オートフィルター
オプション
条件を細かく設定したいときに使用する。
ここでは[指定の範囲内(W)]を選択したが、[ユーザー設定フィルター(F)]をクリックしても同様に[オートフィルターオプション]のダイアログボックスが表示される。

❗注意
ANDは両方の条件を満たすとき、ORはいずれか一方の条件を満たせばよいときに指定する。

④背番号10から18までのデータが抽出される。

A	B	C	D	E	F	G	H	I
		硬式野球部　部員名簿						
番	氏名	フリガナ	学	守備位	背番	出身中	住所1	住所2
5	村田　和生	ムラタ　カズオ	3	投手	10	秋葉原	台東区	秋葉原○丁目○番地××××
6	千葉　浩航	チバ　ヒロヤ	3	内野手	11	千石	文京区	千石○丁目○番地××××
7	望月　大輔	モチヅキ　ダイスケ	3	内野手	12	大塚	豊島区	大塚○丁目○番地××××
17	坂本　明雄	サカモト　アキオ	2	外野手	13	番町	千代田区	五番町○丁目○番地××××
21	後勝　昭明	ゴトウ　マサアキ	2	内野手	15	豊島	豊島区	豊島○丁目○番地××××
22	内藤　義示	ナイトウ　ヨシヒコ	2	投手	17	飯田橋	千代田区	飯田橋○丁目○番地××××
23	桜井　修史	サクライ　シュウジ	2	捕手	18	西神田	千代田区	千代田区西神田○丁目○番地××××
31	富田　貴志	ミヤタ　タカシ	1	捕手	12	新橋	港区	新橋○丁目○番地××××
32	大橋　健太	オオハシ　ケンタ	1	外野手	14	飯田橋	千代田区	飯田橋○丁目○番地××××

4 テキストフィルター(オートフィルターオプション)

文字データの条件を細かく設定するときは、該当する列見出しの▼をクリックし、[テキストフィルター(F)]-[ユーザー設定フィルター(F)]を選択する。上記と同様に[オートフィルターオプション]のダイアログボックスが表示される。下はフリガナが「イ」で始まるか、または「コ」で始まるデータを抽出する例である。

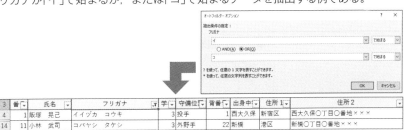

番	氏名	フリガナ	学	守備位	背番	出身中	住所1	住所2
1	飯塚　晃己	イイヅカ　コウキ	3	投手	1	西大久保	新宿区	西大久保○丁目○番地××××
11	小林　武司	コバヤシ　タケシ	3	外野手	22	新橋	港区	新橋○丁目○番地××××

ファイル名「部員名簿」(ひな形データ)を開き, 列見出しが常に表示されるように設定してみよう。
(ファイル名「部員名簿」)

○ 任意の行列の固定
任意の行と列の両方を固定することもできる。常に表示させておきたい行の下, 常に表示させておきたい列の右にあるセルを選択後, [表示]-[ウィンドウ枠の固定]-[ウィンドウ枠の固定(F)]をクリックする。
○ 解除
[表示]-[ウィンドウ枠の固定]-[ウィンドウ枠固定の解除(F)]をクリックする。

1 ウィンドウ枠の固定

表のデータを見るために画面をスクロールすると, 目的の行が表示されたときに先頭にあった列見出しが見えなくなってしまうことがある。このとき, ウィンドウ枠を固定すると列見出しが常に表示され, 表が見やすくなる。
①セル A4 をクリックする。
②[表示]-[ウィンドウ枠の固定]-[ウィンドウ枠の固定(F)]をクリックする。
　3行目までが固定され, 画面をスクロールしても常に表示されるようになる。

2 ウィンドウ枠の分割

ワークシートを分割すると1つのシートを別々のウィンドウに表示してスクロールすることができ, 離れたところにあるデータを同時に表示することができる。分割は, 行または列で分ける2分割と特定のセルを指定して4分割に分ける方法がある。なお, 分割したウィンドウのいずれかをスクロールしている間は, その他のウィンドウは固定された状態となる。また, 分割した状態でデータを入力することもできる。ここでは, 10行目で2つに分けてみよう。
①行番号 10 をクリックし, 行を選択する。[表示]-[分割]をクリックする。

○ 縦方向の分割
縦方向に分割したいときは, 任意の列番号を選択し, 同様の操作を行う。
○ 解除
[表示]-[分割]をクリックする。

└ ここをクリック

②ワークシートが横方向で2つに分かれた状態で表示される。

ファイル名「学力テスト」(ひな形データ)を開き，次の各操作を行ってみよう。

	A	B	C	D	E	F	G	H	I
1			第1回学力テスト結果						
2									
3									
4	番号	生徒名	国語	社会	数学	理科	英語	合計	平均
5	1	相田　健介	69	91	58	64	90		
6	2	葵　琢磨	79	82	46	39	80		
7	3	赤木　律子	60	81	60	57	52		
8	4	赤松　鈴之助	72	91	36	52	55		
9	5	朝霞　あきら	79	88	56	72	85		
10	6	芦田　麗	85	95	29	78	84		

(条件)
①セル H5 ～ H104 は，関数を使って，合計点を表示する。
②セル I5 ～ I104 は，関数を使って，平均点を表示する。なお，結果は小数第1位までを表示すること。
③Sheet1 をコピーし，コピーしたシート名を「得点順」に変更する。
④「得点順」のシートを合計(H 列)の得点が高い順に並べ替える。
⑤ Sheet1 をコピーし，コピーしたシート名を「トップテン」に変更する。
⑥「トップテン」のシートは，フィルター機能を使って，上位 10 位までを表示するように設定する。
⑦ Sheet1 をコピーし，コピーしたシート名を「数学 30 点以下」に変更する。
⑧「数学 30 点以下」のシートは，フィルター機能を使って，数学の得点が 30 点以下の生徒名を表示するように設定する。
⑨ Sheet1 をコピーし，コピーしたシート名を「枠固定」に変更する。
⑩「枠固定」のシートは，4 行目までが列見出しとして常に表示されるように，ウィンドウ枠の固定を設定する。
⑪ Sheet1 をコピーし，コピーしたシート名を「分析」に変更する。
⑫「分析」のシートのセル K4 ～ M9 の範囲に，右のように入力して罫線を引く。

K	L	M
教科名	平均	40点以下
国語		
社会		
数学		
理科		
英語		

⑬セル L5 ～ L9 は，各教科の平均点が表示されるように関数を使って設定する。
　なお，結果は小数第1位まで表示すること。
⑭セル M5 ～ M9 は，各教科の 40 点以下だった生徒の人数を表示するように関数を使って設定する。

6. 印刷

表やグラフを印刷してみよう

こ れ で 解 決 !

　印刷をする前に必ず印刷プレビューで結果を確認しましょう。1枚の用紙に表とグラフの両方が収まっているかなど，事前に確認することができます。ここでは，印刷に関するさまざまな設定方法について学習しましょう。

Keyword

印刷プレビュー

　作成したワークシートなどを印刷する前に，その印刷結果を画面で表示して確認できる機能のこと。

例題16　印刷してみよう

　ファイル名「文化祭会計」の「販売数」シートを開き，表とグラフがA4用紙横置き1枚に収まるように設定し，印刷してみよう。
　（ファイル名「文化祭会計」）

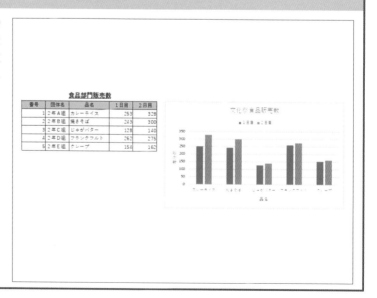

1 ▶ 印刷プレビュー

[ファイル]−[印刷] をクリックする。印刷の設定画面が表示され，右側には印刷プレビューが表示される。

印刷を行うプリンターを確認する。変更が必要な場合は，詳細な設定を行う前にここで指定する。

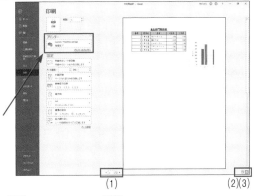

(1) (2)(3)

⑴現在のページ／総ページ数　⑵▦余白の表示　⑶⊡ページに合わせる

2 ▶ 印刷の設定

用紙の大きさが A4 であることを確認後，印刷の向きを「縦方向」から「横方向」へ変更する。

印刷プレビューで１枚に収まっていない場合には余白も変更する。

印刷の向き →
用紙の大きさ →
余白 →
拡大縮小 →

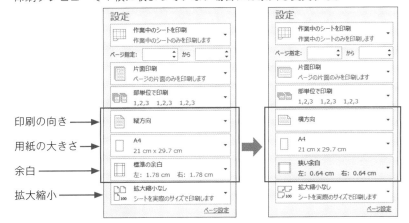

➕α **プラスアルファ**　拡大縮小

初期設定は，シートを実際のサイズで印刷する状態になっている。印刷結果が縮小されていても構わない場合には，「シートを１ページに印刷」などを選択することができる。

印刷プレビューで１枚に収まったことを確認する。

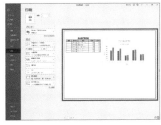

！注意

グラフをクリックして選択した状態になっていると，グラフだけが印刷される状態になる。選択を解除してから操作すること。

○ ページに合わせる

印刷プレビューで細部が確認できないときは，⊡（**ページに合わせる**）をクリックするとよい。

実際に印刷したときの細部を確認できる。

！注意

狭い余白に変更しても１枚に収まらないときには，グラフサイズを変更するか，後述する**[ページ設定]** から余白の数値をさらに小さくすること。

■ 3 ▶ ページ設定

①表とグラフが用紙の中央に配置されて印刷されるように設定を変更する。設定画面下にある[ページ設定]をクリックする。❶

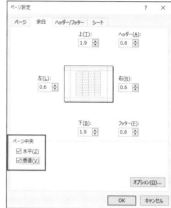

❶
[ページレイアウト]
-[ページ設定]から
も設定することがで
きる。

②[ページ設定]のダイアログボックスが表示される。[余白]タブをクリックし，[ページ中央]の[水平(Z)]と[垂直(Y)]のボックスに✔を入れる。

③印刷プレビューで表とグラフが用紙の中央に配置されたことを確認する。

■ 4 ▶ 印刷

🖨 (印刷)をクリックする。

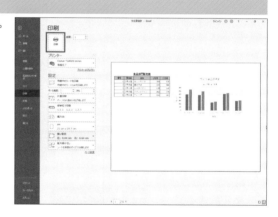

➕α プラスアルファ　改ページプレビュー

[表示]-[改ページプレビュー]をクリックすると，印刷される部分が青枠で囲まれ，背景にページ数が表示される。枠の外側のセルは非表示になる。また，改ページの位置は青い破線で表示される。実線をドラッグすると，印刷範囲を変更することができる。破線をドラッグすれば，1枚に収める範囲を変更することができる。

＋α プラスアルファ ページ設定

[ページ設定]のダイアログボックスには，[ページ]，[余白]，[ヘッダー/フッター]，[シート]の４つのタブがある。

(1)[ページ]

[印刷の向き]，[拡大縮小印刷]，[用紙サイズ]などが設定できる。

[次のページ数に合わせて印刷(F)]を設定すると１枚の用紙に収めたり，印刷するページ数を横方向，縦方向にそれぞれ設定できる。

(2)[余白]

前述のとおりである。

(3)[ヘッダー/フッター]

ページ番号，日付，ファイル名などを印刷するワークシートの上部や下部に表示することができる。上部を**ヘッダー**，下部を**フッター**という。

(4)[シート]

ワークシートが複数ページに渡る表を印刷する場合，初期設定では１ページ目だけにしかタイトル行が印刷されない。２ページ目以降は各列の項目名がないため，表がわかりにくくなってしまう。ここでは，全ページの最初の行に列見出しを印刷するようにタイトル行の設定などを行うことができる。

また，カラーではなく白黒印刷を指定することもできる。

類題 7 A4用紙１枚に収まるように設定を変更し，印刷してみよう

ファイル名「文化祭会計」の「売上金額」シートを開き，表とグラフがA4用紙縦置き１枚に収まるように設定し，印刷してみよう。

7. データの集計と分析

データを分析してみよう

これで解決！

　入力したデータをさまざまな視点で集計したり，分析したりできる機能としてピボットテーブルがあります。この機能を利用することで，「文化祭当日における天気別の日数」や「天気別の入場者数の平均」の表などを簡単に作成することができます。また，作成した表からデータの傾向を見ることができます。ここでは，データの集計と分析に関するさまざまな方法を学習しましょう。

Keyword
ピボットテーブル

　ピボットには「軸をもとに回転」，テーブルには「表」という意味があり，さまざまな視点をもとにした表を，項目を入れ替えることで簡単に作成できる機能がピボットテーブルである。集計項目の列と行を入れ替えたり，複数の項目別に集計した表などを手軽に作成したりすることができる。ピボットテーブルをもとにして作成したグラフを**ピボットグラフ**といい，ピボットテーブルと同様に使用する項目を自由に変更できるグラフが作成できる。

例題17　ピボットテーブルとピボットグラフを作成してみよう

　ファイル名「来場者数」（ひな形データ）を開き，過去のデータから天気別の平均来場者数を表すピボットテーブルとピボットグラフを作成してみよう。

（ファイル名「来場者数」）

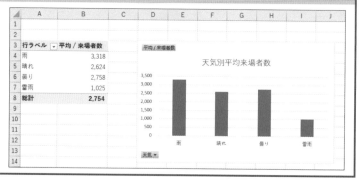

■ 1 ▶ ピボットテーブルとピボットグラフの作成

①セル B3～E35 をドラッグし，選択する。

	A	B	C	D	E
1		文化祭来場者数			
2					
3	回	年度	日	天気	来場者数
4	65	2003	1日目	晴れ	1,264
5	65	2003	2日目	晴れ	1,666
6	66	2004	1日目	祭り	1,299
7	66	2004	2日目	晴れ	1,456
8	67	2005	1日目	晴れ	1,939
9	67	2005	2日目	祭り	2,012
10	68	2006	1日目	晴れ	2,077
11	68	2006	2日目	晴れ	2,444
12	69	2007	1日目	祭り	2,207
13	69	2007	2日目	祭り	2,353
14	70	2008	1日目	祭り	2,094
15	70	2008	2日目	祭り	2,418
16	71	2009	1日目	晴れ	2,451
17	71	2009	2日目	晴れ	2,565
18	72	2010	1日目	晴れ	2,765
19	72	2010	2日目	晴れ	2,964
20	73	2011	1日目	曇雨	1,025
21	73	2011	2日目	雨	1,745
22	74	2012	1日目	祭り	2,851
23	74	2012	2日目	雨	3,149
24	75	2013	1日目	祭り	2,765
25	75	2013	2日目	雨	3,321
26	76	2014	1日目	祭り	3,356
27	76	2014	2日目	雨	3,721
28	77	2015	1日目	祭り	3,965
29	77	2015	2日目	祭り	4,252
30	78	2016	1日目	晴れ	4,051
31	78	2016	2日目	晴れ	4,110
32	79	2017	1日目	雨	4,155
33	79	2017	2日目	晴れ	4,361
34	80	2018	1日目	祭り	3,519
35	80	2018	2日目	雨	3,814

○ ピボットテーブル
グラフを作成する必要がないときは，
[挿入]-🔲(ピボットテーブル)を選択する。

②[挿入]-[ピボットグラフ]-[ピボットグラフとピボットテーブル(P)]をクリックする。

○ ピボットグラフ
ピボットテーブルを作成する必要がないときは，[挿入]-[ピボットグラフ]-[ピボットグラフ(C)]を選択する。

③[ピボットテーブルの作成]のダイアログボックスが表示されるので，データ範囲を確認し，ここでは，[新規ワークシート]を選択し， OK をクリックする。

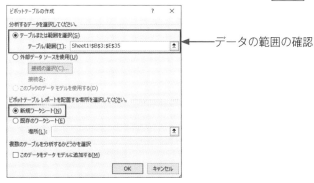

データの範囲の確認

④[ピボットグラフのフィールド]の作業ウィンドウが表示される。

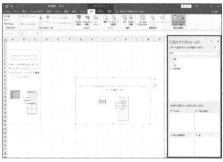

7 データの集計と分析 ● 109

⑤[天気]にチェックを入れると，[軸(分類項目)]の欄に[天気]が表示される。シートには，行ラベルとして各天気が表示される。

!注意
[軸(分類項目)]に表示されなかったときは，項目名をドラッグして移動する。

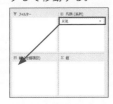

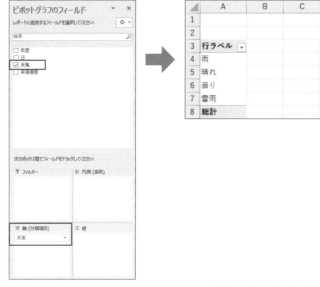

⑥次に[来場者数]にチェックを入れると，[値]の欄に[合計/来場者数]が表示される。シートには，天気ごとの合計来場者数を集計した表とグラフが表示される。

!注意
[値]の欄に[合計/来場者数]が表示されなかったときは，項目名をドラッグして移動する。

⑦グラフを移動し，表と並べて配置する。

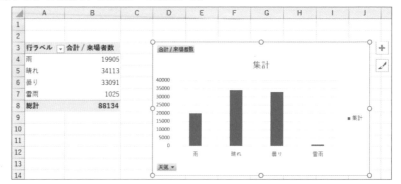

	A	B
3	行ラベル	合計 / 来場者数
4	雨	19905
5	晴れ	34113
6	曇り	33091
7	雷雨	1025
8	総計	88134

⑧[値]の欄にある[合計/来場者数]の▼をクリックし，表示されたメニューから，[値フィールドの設定(N)]をクリックする。

○ 名前の指定
[値フィールドの設定]のダイアログボックスにある[名前の指定(C):]の文字を変更すると，表内の項目名も変更される。

○ 値フィールドの設定
[選択したフィールドのデータ]欄では，さまざまな集計方法を選択することができる。

⑨[値フィールドの設定]のダイアログボックスが表示される。[選択したフィールドのデータ]の欄にある[平均]をクリックする。

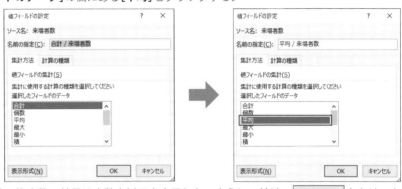

⑩平均人数の結果は小数点以下を表示しないように，続けて 表示形式(N) をクリックすると，[セルの書式設定]のダイアログボックスが表示される。[数値]を選択し，[桁区切り(,)を使用する(U)]にチェックを入れ， OK をクリックすると元の画面に戻る。もう一度 OK をクリックする。

⑪[凡例]を非表示にし，グラフタイトルを「天気別平均来場者数」に変更する。表とグラフから，この学校においては，天気が雨でも文化祭の来場者数に影響を与えていないことがわかる。

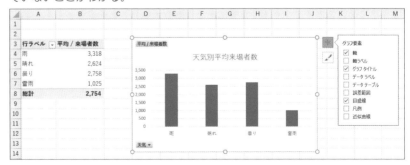

注意

ここでは，グラフを移動した状態で操作を行っている。

文化祭当日の天気について，さまざまな視点から見てみよう。p.109 ～ 110 の①～⑤までの手順を行ってから下記の操作を行う。

①[**ピボットグラフのフィールド**]に表示されている[**天気**]を[**値**]の欄にドラッグする。[**値**]の欄には[**個数/天気**]と表示され，天気別の日数を集計した表とグラフが表示される。

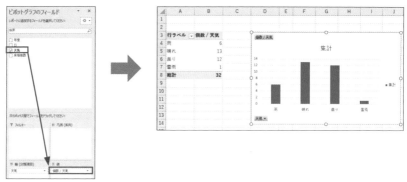

②[**ピボットグラフのフィールド**]に表示されている[**日**]にチェックを入れると，[**軸（分類項目）**]の欄に[**日**]が追加され，1日目と2日目の項目が加わった表とグラフに変わる。

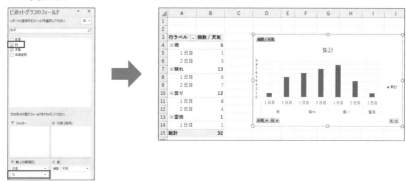

③[**軸（分類項目）**]の欄にある[**日**]の項目を[**凡例（系列）**]へドラッグすると，1日目と2日目が列見出しとなった表とグラフに変わる。

軸から凡例へ

④[**値**]の欄にある[**個数/天気**]の▼をクリックし，次に[**値フィールドの設定（N）**]をクリックする。

[**計算の種類**]のタブをクリックし，[**計算の種類（A）**]の中から[**総計に対する比率**]を選択すると，個数が割合で表示される。

個数 / 天気	列ラベル		
行ラベル	1日目	2日目	総計
雨	3.13%	15.63%	18.75%
晴れ	18.75%	21.88%	40.63%
曇り	25.00%	12.50%	37.50%
雷雨	3.13%	0.00%	3.13%
総計	50.00%	50.00%	100.00%

・操作例　データの分析

数学Ⅰ「データの分析」で学習する事項を Excel を使用して確認してみよう。
（ファイル名「データの整理」「データの散らばり1」「データの散らばり2」）

1　データの整理

あるクラスの英語テストの結果を例にデータを整理してみよう。

⑴　度数分布表の作成

①英語の得点を入力した一覧表，階級❶の端点を入力した表，度数を表示する表を作成する。ここでは，階級の幅❷を10点とする。

❶ 階級
区間のこと。

❷ 階級の幅
各階級の端点の差のこと。

❸
Excel では，「&」は文字列どうしをつなぎ合わせる記号として扱われる。

！注意
この例では100点の生徒がいないため，階級は 90 〜 100 までとなっている。

②セル H4 を選択して「＝E4&"〜"&F4」❸と入力し，Enter を押す。セルを中央揃えに設定後，オートフィル機能を使って，セル H5 〜 H13 に計算式をコピーする。

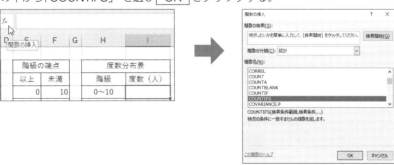

セル H4 に入力すると，上記のように表示される。

❹ COUNTIFS 関数
複数の条件に合うセルの個数を求める関数。

③セル I4 を選択し，[数式]−f_x（関数の挿入）をクリックする。[関数の挿入]ダイアログボックスが表示されたら，[関数の分類(C):]を「統計」にし，[関数名(N):]の中から「COUNTIFS」❹を選び OK をクリックする。

！注意
得点が入力されている範囲を絶対参照とするのは，後でオートフィル機能を使って計算式をコピーするためである。

④[関数の引数]ダイアログボックスが表示される。[検索条件範囲1]の枠内をクリックし得点が入力されているセル C4 〜 C23 をドラッグして指定し，F4 を押して絶対参照にする。次に[検索条件1]の枠をクリックして「">="&E4」と入力する。続いて，[検索条件範囲2]の枠内をクリックして[検索条件範囲1]と同じように設定する。最後に[検索条件2]の枠をクリックして「"<"&F4」と入力し，OK をクリックする。

3 章

⑤セル I4 には該当する得点がないため「0」が表示される。次にオートフィル機能を
使ってセル I5 ～ I13 に計算式をコピーすると, 各階級の度数(人数)が表示される。

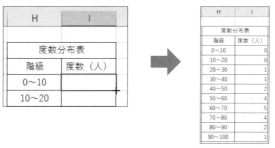

度数分布表	
階級	度数（人）
0～10	0
10～20	0
20～30	1
30～40	1
40～50	2
50～60	4
60～70	5
70～80	4
80～90	2
90～100	1

(2) ヒストグラムの作成

完成した度数分布表をもとに**ヒストグラム**[1]を作成しよう。

①セル H4 ～ I13 をドラッグし, [**挿入**]–■■▼(**縦棒/横棒グラフの挿入**)の右にあ
る▼をクリックして[**集合縦棒**]グラフをクリックすると, グラフが表示される。

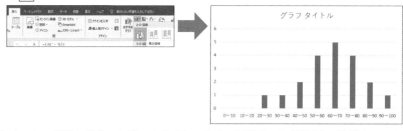

②データの系列をダブルクリックすると, [**データ系列の書式設定**]の作業ウィンド
ウが表示される。[**系列のオプション**]にある[**要素の間隔(W)**]を 0% にする。

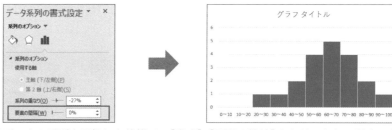

③データの系列を選択した状態で, [**書式**]–[**図形の枠線**]をクリックし, 任意の色
を選択する。また, グラフタイトルを非表示にする。

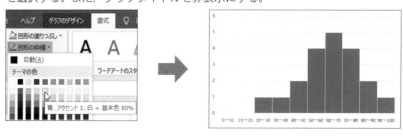

【左欄外】
❶ ヒストグラム
縦軸には値の数(度
数), 横軸には値の
範囲(階級)をとった
データの分布を表す
統計グラフ。

A 組から D 組の数学得点表を例にデータを分析してみよう。

ここでは，セル G3 ～ K11 に各項目を表示する表を作成して分析を行う。

(1) 代表値

データの特徴を表す値を**代表値**という。代表値には**平均値**，**中央値**[2]，**最頻値**[3]などがある。

①セル H4 ～ K4 には AVERAGE 関数を使って平均値を求め，結果は小数第 1 位までを表示する。

②セル H5 は A 組の中央値を求める。 f_x （関数の挿入）をクリックし，[関数の挿入]のダイアログボックスが表示されたら，[関数の分類(C):]を「統計」にし，[関数名(N):]の中から「MEDIAN」を選び OK をクリックする。

[数値 1]の欄は，A 組のデータがあるセル B4 ～ B23 を範囲指定し，行番号を絶対参照に設定した後 OK をクリックする。

オートフィル機能を使ってセル I5 ～ K5 に計算式をコピーする。

③セル H6 は A 組の最頻値を求める。 f_x （関数の挿入）をクリックし，[関数の挿入]のダイアログボックスが表示されたら，[関数の分類(C):]を「統計」にし，[関数名(N):]の中から「MODE.SNGL」を選び OK をクリックする。[数値 1]の欄には，A 組のデータがあるセル B4 ～ B23 を範囲指定し，行番号を絶対参照に設定した後 OK をクリックする。

オートフィル機能を使ってセル I6 ～ K6 に計算式をコピーする。

❷ 中央値

データを昇順に並べたときに中央に位置する値のことである。データの個数が奇数と偶数のときでは中央値が異なる。

❗注意

[数値 1]の欄の行番号を絶対参照にしないと計算式をコピーしたときに参照位置がずれてしまうので注意する必要がある。

❸ 最頻値

最も頻繁に出現する値のことである。度数分布表を作ったとき，度数の最も多い階級の階級値が最頻値である。
MODE.SNGL 関数は最頻値が複数ある場合，数値が大きいものが結果として表示される。

一般にデータを大きさの順に並べたとき，その中央値を**第2四分位数**という。第2四分位数で2つに分けられたデータの集まりのうち，前半のデータの中央値を**第1四分位数**，後半のデータの中央値を**第3四分位数**という。
第1四分位数，第2四分位数，第3四分位数をまとめて**四分位数**という。

❗注意

戻り値にちょうどあてはまる数値がない場合は補完が行われる。そのため，数学で学習する四分位数とは異なる結果が表示されることがある。

(2) 四分位数●（QUARTILE.INC 関数）

①セル H7 を選択し[**数式**]-[f_x]（**関数の挿入**）をクリックすると，[**関数の挿入**]のダイアログボックスが表示される。[**関数の分類（C）：**]を「統計」にし，[**関数名（N）：**]の中から「QUARTILE.INC」を選び OK をクリックする。

②[**関数の引数**]のダイアログボックスが表示される。[**配列**]の枠内をクリックし，A 組の得点があるセル B4 ～ B23 をドラッグして範囲指定し，F4 を押して行番号を絶対参照にする。次に[**戻り値**]の欄に「4」を入力し OK をクリックすると，最大値が表示される。

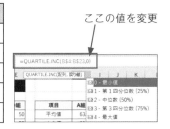

項目	A組	B組
平均値	63.0	63.0
中央値	63.5	64
最頻値	78	76
最大値	91	
第3四分位数		
第2四分位数		
第1四分位数		
最小値		

③オートフィル機能を使ってセル H8 ～ H11 に計算式をコピーする。コピー後，各セルをクリックして，戻り値の数値を変更する。①～②と同様の手順で B 組から D 組の結果を表示させる。

戻り値	表示される内容
0	0%の位置（最小値）
1	25%の位置（第1四分位数）
2	50%の位置（第2四分位数＝中央値）
3	75%の位置（第3四分位数）
4	100%の位置（最大値）

ここの値を変更

(3) 箱ひげ図

箱ひげ図とは，ばらつきのあるデータを見やすく表示するために箱と線（ひげ）を用いて一つの図にしたものである。作成には最小値，第1四分位数，中央値（第2四分位数），第3四分位数，最大値を使用するが，Excel ではデータ範囲を指定するだけで，簡単にグラフ化することができる。

①セル B3 ～ E23 をドラッグして範囲指定し，[**挿入**]-[📊]（**統計グラフの挿入**）の右にある[▼]をクリックして[**箱ひげ図**]をクリックすると，グラフが表示される。

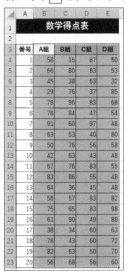

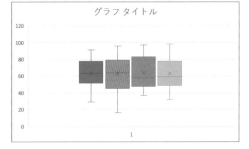

!注意
ここでは，グラフタイトルを削除したが，必要に応じて入れること。

②グラフ右上に表示される ➕（**グラフ要素**）をクリックし，表示された項目の中から，[**グラフタイトル**]のチェックをはずし，[**データラベル**]と[**凡例**]にチェックを入れる。

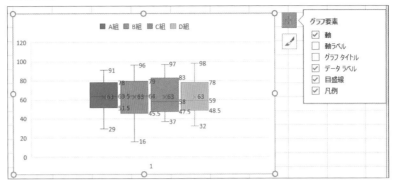

③[**軸**]にマウスポインターを合わせ，[**第1横軸**]のチェックをはずす。

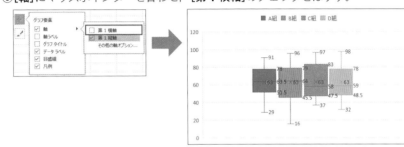

(4) 標準偏差（STDEV.P 関数）

得点表から標準偏差を求める。結果を表示するセルF3を選択し f_x（**関数の挿入**）をクリックすると，[**関数の挿入**]のダイアログボックスが表示される。[**関数の分類(C)：**]を「統計」にし，[**関数名(N)：**]の中から「STDEV.P」を選び ⌷OK⌷ をクリックすると，[**関数の引数**]のダイアログボックスが表示される。[**数値1**]の枠をクリックし，セルB3 ～ B22 をドラッグして範囲指定し，⌷OK⌷ をクリックすると標準偏差が表示される。

(5) 偏差値

!注意
絶対参照の指定は，計算式をコピーするために行っている。

偏差値は次の計算式で求める。　　$(得点 - 平均) \times 10 \div 標準偏差 + 50$

この計算式を偏差値の結果を表示するセルC3に入力し，オートフィル機能を使って，セルC4 ～ C22 に計算式をコピーする。

特集 問題解決の方法

私たちが毎日の生活の中で直面するさまざまな問題を解決するための手順や手法を紹介する。

1 問題解決とは

ある問題に対して解決方法を導き出し，手順に従って，その問題を解決することを**問題解決**という。

例えばA県からB県へ移動する場合，鉄道やバスなど交通手段の選択，選択した交通手段によって費用や移動にかかる時間の違いなど，選択によってさまざまな結果が生まれる。また，一人で移動する場合と複数で移動する場合では，「どの交通手段で移動するのか」を決める意思決定の方法も異なってくるだろう。問題解決までの基本的な流れとその手法を理解することは，日常におけるさまざまな問題の解決に役立てることができる。

2 問題解決までの流れ

次ページ左上の図は問題解決までの基本的な流れを表している。各ステップで行う具体的な内容は次の通りである。

Step1 問題の明確化

あいまいな認識では問題は解決しない。「どういう結果になれば問題が解決したことになるのか」をふまえて，解決しようとする問題を明らかにすることが最初のステップである。問題解決の目的，問題の構造分析，制約条件の整理などを行い，問題を明確化する。

Step2 情報の収集

Step1で明らかになったことを基に問題解決のための情報収集を行う。情報の収集にあたっては特定のメディアのみに偏ることのないよう収集する手段を工夫するほか，情報の信ぴょう性についても確認するように注意する。

Step3 情報の整理・分析

Step2で収集した情報を表やグラフなどを利用して整理する。作成した表やグラフなどから傾向や特徴を把握し，情報の分析を行う。

Step4 解決案の検討・評価

Step3で整理・分析した情報に基づいて解決案の検討や作成を行う。複数の解決案があり，その中から一つを選択するときなどは，各候補の評価を

行って決定する。

解決案に対する評価が低く，目的を達成できないと判断した場合は，Step1～3をやり直す。

Step5 解決案の実施と反省

Step4で決定した解決案を実施し，問題解決をはかる。解決案を実施した後は実施内容を評価し，次の問題解決に活用する。

【参考】PDCAサイクル

問題解決の手順は，次ページ右上の図のように**PDCAサイクル**と呼ばれる手法に基づいている。企業ではPlan(計画)→ Do(実行)→ Check(評価)→ Action(改善)の四段階を繰り返すことで業務改善を継続的に行う。

3 問題解決の手法

1 ブレーンストーミング

ある問題に対して，問題の解決策を導き出すために，グループ内で自由にアイデアや意見を出し合うことで互いの連想を発展させ，さらに多くのアイデアを生み出させるという集団的発想法である。この手法で成果を出すためには，次の四つの原則を参加するメンバーが守るようにする。

> **ブレーンストーミングの四原則**
> **(1) 批判厳禁**
> 他人の意見を批判しない。
> **(2) 自由奔放**
> 奇抜でユニークなアイデアを重視する。
> **(3) 質より量**
> あらゆるアイデアを歓迎する。
> **(4) 結合改善**
> 別々のアイデアを結合させたり，他人のアイデアを変化させることで，新たなアイデアを生み出す。

2 KJ法

文化人類学者の川喜田二郎が考案した情報を整理するための手法で，KJは川喜田二郎のイニシャルである。ブレーンストーミングで拡散した情報の中から有用な情報を取り出すときなどに用いる。情

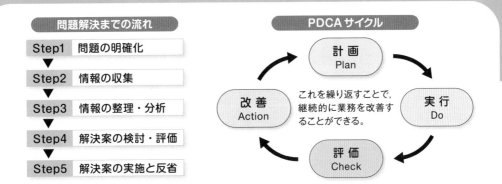

問題解決までの流れ
Step1　問題の明確化
Step2　情報の収集
Step3　情報の整理・分析
Step4　解決案の検討・評価
Step5　解決案の実施と反省

PDCA サイクル

計画 Plan　実行 Do　評価 Check　改善 Action

これを繰り返すことで，継続的に業務を改善することができる。

報の整理や統合は，次のような順序で行う。

① 事実やアイデアを一枚のカードに簡潔に記入する。
② カードを並べて同類のカードをグループ化する。
③ グループ化したまとまりを線で囲み，そのグループの名前を付ける。
④ グループ間の関係（原因と結果，目的と手段，対立，対称など）を図解する。
⑤ 上記の図解を文章でまとめる。さらに発想を発展させる場合は，再度ブレーンストーミングを行う。

4 表計算ソフトを活用した問題解決

表計算ソフトは，情報の整理や比較，シミュレーション，グラフ化などを行うことができる。これらは，問題解決に役立てることができる。

文化祭の模擬店でカレーライスを販売する場合を例に活用事例を紹介する。

1 情報の整理や比較

文化祭前：どこで材料を購入するかの検討

	A	B	C	D	E
1	材料費比較表				
2					
3	商品名	A店	B店	C店	最安値
4	豚肉（500g）	504	720	444	444
5	じゃがいも（3個）	171	219	156	156
6	玉ねぎ(4個)	197	248	168	168
7	人参（1本）	55	58	42	42
8	カレー粉（1箱）	198	188	224	188
9				合計	998
10				単価	83.167
11	※各材料費は12皿分で計算				
12	※単価は1皿分の費用				

文化祭後：購入者の満足度を比較

	A	B	C	D	E	F
1	購入者アンケート結果					
2						単位：人
3	項目	◎	○	△	×	合計
4	味	168	225	95	12	500
5	量	235	205	55	5	500
6	価格	98	218	178	6	500
7	接客	265	215	18	2	500
8	衛生	71	182	195	52	500
9	総合評価	116	287	94	3	500

2 シミュレーション

販売価格や何皿分の材料を用意するのかなどを決定するにあたり，シミュレーションを行い，意思決定に役立てる。

	A	B	C	D
1	損益シミュレーション			
2				
3	材料費（12皿分）		998	
4	予定数		600	
5	販売価格		300	
6				
7	販売数	売上金額	材料費	利益
8	100	30,000	49,900	-19,900
9	150	45,000	49,900	-4,900
10	200	60,000	49,900	10,100
11	250	75,000	49,900	25,100
12	300	90,000	49,900	40,100
13				
14	※材料は予定数分を一括で事前購入する。			

3 グラフ化

1 の文化祭後の「購入者アンケート結果」をグラフ化することで「価格」「衛生」について改善する必要があることが，ひと目でわかる。

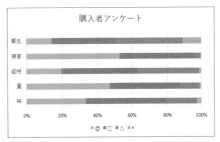

購入者アンケート

1 PowerPointの基本操作

プレゼンテーション資料を作って，相手を説得しよう

これで解決！
- -

　ワープロソフトを使って資料を作成する方法もありますが，「多くの人々を説得したい」，あるいは「自分の考えを伝えたい」というときには，プレゼンテーション資料を作成し，スライドを提示しながら発表する形式にすると，相手にわかりやすく情報を伝達することができます。状況に応じて，適切なソフトウェアを選択するようにしましょう。

Keyword
- -

プレゼンテーション

　自分の意見や情報などの伝えたい内容を，わかりやすく表現・提示し，相手に伝達すること。略して**プレゼン**ともいう。プレゼンをする目的は，相手を納得させ，自発的な行動を促すことにある。

プレゼンテーションソフト

　プレゼンテーション資料の作成およびその資料を提示するためのソフトウェアのこと。スライド形式で資料を作成し，それを順番に表示する**スライドショー**という形式で資料を提示しながらプレゼンテーションを行うのが一般的な使い方である。

例題 1　タイトルスライドを作成してみよう

　タイトルスライドを作成してみよう。
　　　　　　　　　（ファイル名「食品部門の改善案」）

▶リンク

起動方法
（→ p.7）

■ 1 ▶ PowerPoint2019 の起動

① PowerPoint2019 を起動する。

② PowerPoint のスタート画面が表示される。ここでは，[**新しいプレゼンテーション**]をクリックする。タイトルスライドが表示される。

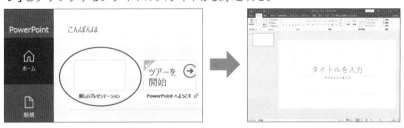

■ 2 ▶ PowerPoint2019 の画面

①**タイトルバー**……………………作成中のファイル名が表示される。

②**クイックアクセスツールバー**…よく使う機能を登録できるバー。標準では[**上書き保存**]などのボタンが表示されている。

③**タブ**………………………………クリックすると機能ごとにまとめられているリボンが切り替わる。

④**リボン**……………………………PowerPoint の操作時に使用する機能がボタンで表示されている。

⑤**スライドのサムネイル**…………作成したスライドの縮小画像が上から順番に表示される。スライドの順序を入れ替えたり，削除したりできる。

⑥**スライドペイン**…………………スライドを編集する領域。

⑦**ステータスバー**…………………スライドの枚数など，現在の作業状態が表示される。

⑧**表示ボタン**………………………クリックすると，編集中のプレゼンテーションの表示方法を目的に応じて変更することができる。
≜ ノート はノートペインが表示され，発表者のノート(メモ)が入力できる。
回 標準　　　　　 ⊞ スライド一覧
⊟ 閲覧表示　　　 ⊟ スライドショー

⑨**ズームスライダー**………………編集中のスライドの表示倍率を変更するときに使用する。

4章

3 ▶ スライドサイズの変更

①[デザイン]-[スライドのサイズ]-[標準（4：3）]をクリックする。❶

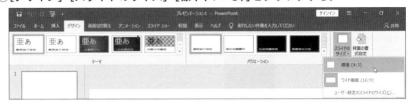

②ワイド画面から標準サイズのスライドに変更される。

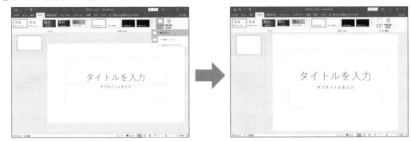

4 ▶ 文字の入力

スライド内に配置された各枠を**プレースホルダー**❷という。

①[**タイトルを入力**]と表示されている枠をクリックすると，カーソルが表示され，
文字入力が可能な状態になる。「食品部門の改善案」と入力する。

②同様に，[**サブタイトルを入力**]と表示されている枠をクリック後，[Enter]を押し，
1 行改行する。「文化祭実行委員　山森　実」と入力する。

■ 5 ▶ 名前を付けて保存

○ 上書き保存
すでに保存したファ
イルを開いて，デー
タを変更したときに
は，[上書き保存]を
クリックする。ダイ
アログボックスは表
示されず，同じ名前
で保存される。

○ 保存場所
初期設定では，ログ
インしたユーザーの
ドキュメントフォル
ダーが保存場所とし
て表示される。保存
場所を変更したいと
きは，左側にあるペ
インから保存先を指
定し，保存(S) を
クリックする。

❸ 最近使ったアイテム
以前に作成したプレ
ゼンテーションファ
イルのうち，最近作
成したファイルは，こ
こから選択できるよ
うになっている。

!注意
PowerPoint でファ
イルを開いていると
きに，さらにほかの
ファイルを開くとき
は，[ファイル]-[開
く]をクリックすれ
ばよい。

■ 5 ▶ 名前を付けて保存

①[ファイル]タブをクリックし，次に表示された画面から，[名前を付けて保存]を
クリックする。

②[参照]をクリックする。

③[名前を付けて保存]のダイアログボックスが表示される。[ファイル名(N)]に名
前を入力する。

今回はタイトルとした「食品部門の改善案」が
すでに表示されているので，このまま
保存(S) をクリックする。

④タイトルバーの表示が「プレゼンテーション 1」から「食品部門の改善案」に変わ
る。

プレゼンテーション1 - PowerPoint ▶ 食品部門の改善案 - PowerPoint

■ 6 ▶ PowerPoint2019 の終了

タイトルバーの右端にある ✕ (閉じる)をクリックする。

■ 7 ▶ ファイルを開く

①再度 PowerPoint 2019を起動する。

②[最近使ったアイテム]❸にファイル名が表示されているときは，それをクリック
する。

③表示されていないときには，[開く]をクリックし，次に表示された画面から，[参
照]をクリックし，ファイルを保存している場所を指定する。

④[ファイルを開く]のダイアログボックスが表示される。
「食品部門の改善案」を選択し，開く(O) をクリックする。

例題2　スライドを追加し，テーマを設定してみよう

新しいスライドを追加し，テーマを設定してみよう。

食品部門における問題点
■販売数が少ない
　■午前中に食券が完売
　■生徒の昼食が確保できていない
■調理室の限界
　■使用できる調理台の数
　■入室可能な人数
■ゴミ処理
　■年々増える排出量

1 ▶ 新しいスライドを追加

①[ホーム]−[新しいスライド]をクリックし，追加するスライドのレイアウトを一覧から選択する。ここでは[タイトルとコンテンツ]をクリックする。新しいスライドが追加される。

[新しいスライド]ボタンは上下に分かれており，上と下では選択時の操作が異なる。

　　←　前回追加したスライドと同じレイアウトのスライドを追加
　　←　追加するスライドのレイアウトを選択してから，スライドを追加

なお，タイトルスライドのみ作成した状態で，上のボタンをクリックすると[タイトルとコンテンツ]のスライドが追加される。

②各プレースホルダーをクリックし，文字を入力する。下のプレースホルダーに表示されている「・」は箇条書きのマークで，「販売数が少ない」と入力し，[Enter]を押すと，自動的に次の行の先頭に表示される。なお，プレースホルダーは，多くの文字を入力すると，プレースホルダーに合わせて自動的にフォントサイズが小さくなる**自動調整機能**がある。

○ **自動調整オプション**
プレースホルダーに入力した文字を自動調整したくないときや，テキストを2つのスライドに分割したいときなどは，プレースホルダー左下に表示される[**自動調整オプション**]ボタンをクリックし，ここから選択する。

2 ▶ テーマの設定

テーマとは，フォントや配色，レイアウトなどを組み合わせた**デザインテンプレー
ト**❶である。テーマを設定すると，プレゼンテーション全体のイメージを簡単に変
更することができる。また，テーマ設定後に各項目を個別に変更することもできる。

①[**デザイン**]タブをクリックし，[**テーマ**]の▽をクリックする。

②表示された中から[**レトロスペクト**]をクリックすると，スライドのデザインが変
更される。

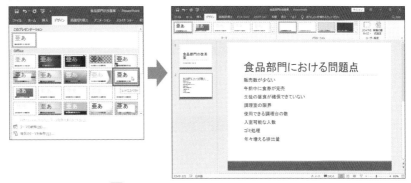

③[**バリエーション**]の▽をクリックする。

④[**配色(C)**]–[**黄**]をクリックすると，配色のセットが変更される。

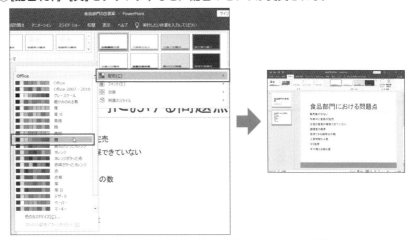

バリエーションでは，このほかにフォントや効果のセット，背景のスタイルなど
も変更できる。なお，設定後に新しいスライドを追加すると，スライドは最初から
デザインが設定された状態で表示される。

このようにテーマを設定することで，プレゼンテーション全体が統一感のあるも
のになる。

4
章

3 ▶ スライドの切り替え

ウィンドウの右側には，作成中のスライドが表示されている。この部分を**スライ
ドペイン**という。ウィンドウの左側には，スライドの**サムネイル**❶が表示されてい
る。このサムネイルをクリックすると，スライドペインのスライドが切り替わる。

❶ サムネイル
画像や文書データな
どを縮小表示したも
の。

サムネイル　　　スライドペイン

4 ▶ フォントサイズの変更

①「食品部門の改善案」をドラッグする。

②[**ホーム**]−　80　▼（**フォントサイズ**）の右にある▼をクリックし，「72」を選択す
ると，**フォントサイズ**❷が変更される。

❷ フォントサイズ
文字の大きさを**フォ
ントサイズ**といい，
ポイントという単位
で大きさを表す。1
ポイントは 1/72 イ
ンチ（約 0.353 mm）
である。

5 ▶ 文字の配置

「文化祭実行委員　山森　実」の文字がある行をクリックし，[**ホーム**]−≡（**中央
揃え**）をクリックすると，文字が中央に配置される。

○ 文字の配置
≡　左揃え
≡　中央揃え
≡　右揃え
≡　両端揃え

① 2枚目のスライドに切り替え，「販売数が少ない」から「年々増える排出量」まで
をドラッグする。

○ 行頭文字の非表示

(箇条書き)ボタ
ンは行頭文字の表示
と非表示を切り替え
る。部分的に行頭文
字が不要なときは，
BackSpace で削除
すればよい。

!注意
行頭文字はテーマご
とに設定されてい
る。そのため，テー
マによっては，行頭
文字が表示されな
かったり，異なる
マークが表示された
りする。

② [ホーム]－
(箇条書き)の右にある▼をクリックし，一覧から[塗りつぶし
四角の行頭文字]をクリックする。

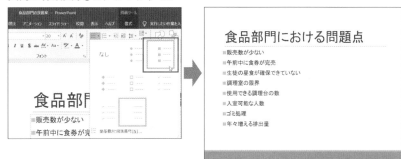

📐 **プラスアルファ**　段落番号

行頭文字を記号ではなく，番号順やアルファベットにすることもできる。設
定する文字をドラッグした後，[ホーム]－
(段落番号)の右にある▼をク
リックし，表示された一覧から選択する。

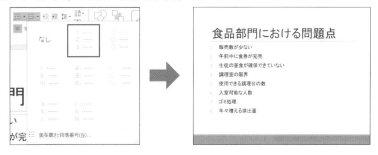

また，[箇条書きと段落番号(N)]をクリックすると，[箇条書きと段落番号]
のダイアログボックスが表示される。ここで，開始する番号の設定や行頭文字
の色などを設定することができる。

4
章

○ キーボードでの
　インデントの設定
行頭文字と先頭の文
字の間にカーソルを
置き，[Tab]を押す
と1段階レベルが下
がる。
レベルを上げるとき
は，[Shift]を押した
まま[Tab]を押す。

①2枚目のスライドにある「午前中に食券が完売」「生徒の昼食が確保できていない」
の2行をドラッグし，[ホーム]－ (インデントを増やす)をクリックする。

②レベルが1段階下がり，文字が小さくなって右に移動する。

③同様に「使用できる調理台の数」「入室可能な人数」「年々増える排出量」のインデン
トを設定する。

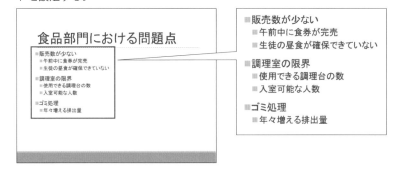

➕α **プラスアルファ**　　**レベル下げとレベル上げ**

　箇条書きのレベルは9段階まで設定することができ， (**インデントを増
やす**)をクリックするたびに1段階ずつレベルが下がる。ただし，あまりに階
層を深くすると複雑になり，相手にとって理解しにくい構成となってしまう。
一般には第3レベル程度までにするのが適当である。レベルを下げすぎたとき
には， (**インデントを減らす**)をクリックし，レベルを上げるとよい。この
ように，レベルを設定した階層構造でスライドを作成すると，わかりやすいプ
レゼンテーション資料になる。

箇条書きのレベル	文書構成のレベル
第1レベル	第1章
第2レベル	第1節
第3レベル	第1項

▶リンク

フォントサイズの変更
（→ p.126）

！注意

続けて設定を行うの
で，文字はドラッグ
（選択）したままで操
作すること。

8 ▶ フォントの色

①「販売数が少ない」の文字をドラッグし，フォントサイズを「32」に設定する。

②［ホーム］-▲・（フォントの色）にある・をクリックする。表示された一覧の中から「赤」をクリックすると，フォントの色が赤に変わる。

9 ▶ 書式のコピー

「調理室の限界」と「ゴミ処理」に，「販売数が少ない」と同じ色とフォントサイズを設定する。書式のコピーを利用すると，簡単に同じ書式を設定することができる。

①「販売数が少ない」をドラッグし，［ホーム］-🖌（書式のコピー / 貼り付け）❶をダブルクリックする。

❶ 書式のコピー
文字に設定した書式
をほかの文字にその
まま設定できる機能
である。
1度しか書式をコ
ピーしない場合は，
🖌（書式のコピー /
貼り付け）をクリッ
クすればよい。ほか
の文字をドラッグ
し，マウスから手を
離すと，書式のコピー
も終了する。

②マウスポインターの形が 🖌 になっていることを確認し，この状態で「調理室の限界」をドラッグすると，書式がコピーされる。

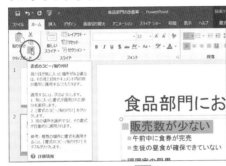

③マウスポインターの形は 🖌 のままである。そのまま続けて「ゴミ処理」もドラッグすると，同様に書式がコピーされる。

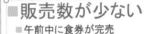

ESC を押すと，書式のコピーが終了し，マウスポインターが元の形に戻る。

④「午前中に食券が完売」「生徒の昼食が確保できていない」のフォントサイズを「24」にする。

設定後，書式のコピーを使って，「使用できる調理台の数」「入室可能な人数」「年々増える排出量」も同じサイズにする。

　表示モードを切り替えて，スライドを作成して
みよう。

1　表示モードの切り替え

　[表示]-[アウトライン表示]をクリックすると，標準表示からアウトライン表示
に切り替わる。

【表示モード】

標準……………………初期設定で表示されるモード。画面左に作成したスラ
　　　　　　　　　　　　イドのサムネイルが表示される。
　　　　　　　　　　　　文字入力のほか，図やグラフなどを挿入するときなど
　　　　　　　　　　　　に利用する。

アウトライン表示…各スライドのタイトルと本文がアウトラインとして画
　　　　　　　　　　　　面左に表示される。
　　　　　　　　　　　　プレゼンテーションの構成を練るときに使用する。

スライド一覧………すべてのスライドが縮小されて一覧表示される。プレ
　　　　　　　　　　　　ゼンテーション全体を確認しながら作業するときに利
　　　　　　　　　　　　用する。

ノート………………発表者用のメモを作成するときに利用する。

スライド一覧　　　　　　　　　　　　　　ノート

閲覧表示……………スライドを1枚ずつ画面に表示する。アニメーショ
　　　　　　　　　　　　ンなどの効果が確認できる。

【ステータスバーの利用】
「表示モード」はステータスバーのボタンをクリックして切り替えることもできる。

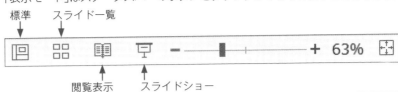

標準　スライド一覧　閲覧表示　スライドショー

2　アウトライン表示でのスライドの作成

①アウトライン表示にある「年々増える排出量」の後ろをクリックし，Enter を押す。行頭文字が増え，文字入力ができる状態になる。

②Shift を押しながら Tab を2度押す。❶ レベルが2段階上がり，行頭文字の部分はスライドのアイコン表示に変わる。「問題解決のために」と入力する。

③Enter を押すとスライドが1枚増える。下記のように文字を入力し，スライドを追加する。

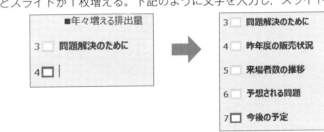

3　スライドの移動

3枚目のスライド「問題解決のために」を5枚目に移動する。

【アウトライン表示の場合】
　3枚目のスライドのアイコンにマウスポインターを置き，5枚目のスライドの後ろまでドラッグする。ドラッグ中は移動先の目印となる線が表示される。マウスから手を離すとスライドが移動する。

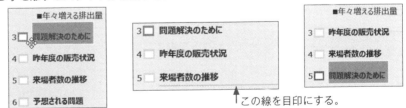

↑この線を目印にする。

【標準表示の場合】

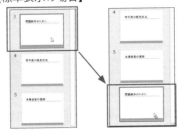

スライドのサムネイルをドラッグする。

❶
レベル上げについては，p.128 参照。アウトライン表示では，[タイトルを入力]のレベルにまでレベルを上げることができる。
Enter を押すだけでスライドを増やすことができるので，概要を入力してプレゼンテーションの構成を考えながら作成することができる。

○ スライドの削除
アウトライン表示では，スライドのアイコンを，標準表示では，サムネイル表示のスライドを選択後，Delete か，BackSpace を押して削除する。
右クリックして表示されたメニューから[スライドの削除(D)]をクリックしてもよい。

○ スライドの複製
サムネイル表示のスライドを選択後，右クリックし，[スライドの複製(A)]をクリックする。

2. オブジェクトの挿入と編集

視覚的な効果が高いプレゼンテーション資料にしよう

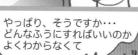

これで解決！

PowerPoint では，画像やグラフなど，さまざまなオブジェクトを挿入することができます。このようなオブジェクトを使った視覚的な効果を加えることで，聞き手の興味や関心を引き起こすことができます。また，文章だけではわかりにくいことも，視覚化することで聞き手は理解しやすくなります。自分自身の「伝えたいこと」が聞き手の心に響くように，オブジェクトを加えて，効果的なプレゼン資料にしてみましょう。

Keyword

オブジェクト

オブジェクトとは「物体」「対象」という意味で，PowerPoint2019 では，表，グラフ，図形，写真，ワードアート，ビデオ，オーディオ，**SmartArt** などのさまざまなオブジェクトが挿入できる。

・例題4　さまざまなオブジェクトを挿入してみよう

2枚目に画像，3枚目に表，4枚目にグラフとワードアートを挿入してみよう。

（ファイル名「食品部門の改善案」）

食品部門における問題点
- ■販売数が少ない
  - 午前中に食券が完売
  - 生徒の昼食が確保できていない
- ■調理室の限界
  - 使用できる調理台の数
  - 入室可能な人数
- ■ゴミ処理
  - 年々増える排出量

昨年度の販売状況

品名	1日目	2日目	合計
カレーライス	253	328	581
焼きそば	243	300	543
じゃがバター	128	140	268
フランクフルト	262	275	537
クレープ	154	162	316
合計	1,040	1,205	2,245

来場者数の推移

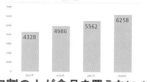

4328　4986　5562　6258

7割の人が食品を買えない！

! 注意

標準表示で操作をする。なお，ここでは[ピクチャ]フォルダーに画像がある状態で操作している。

1 画像の挿入

①2枚目のスライドを表示する。

②[挿入]-[画像]をクリックすると，[図の挿入]のダイアログボックスが表示される。保存場所を開き，ファイル名「シェフ」（画像データ）を選択して， 挿入(S) をクリックする。

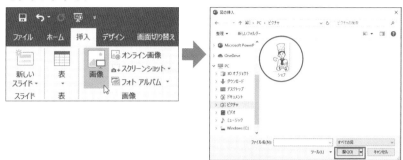

③画像がスライドに挿入される。画像の四隅にある○の上にマウスポインターを置き，ドラッグして画像を適当な大きさに縮小する。

④画像をドラッグし，適当な位置に移動させて配置する。

プラスアルファ オンライン画像

Office2019 では，インターネット上から写真やイラストの素材を入手することができるようになっている。[挿入]-[オンライン画像]をクリックすると[オンライン画像]のダイアログボックスが表示されるので，キーワードを入力し， Enter を押す。検索結果が表示されたら，使用する画像を選択し， 挿入 をクリックすればよい。なお，使用にあたっては，著作権や第三者の所有権などを確認する必要がある。利用規約などがある場合には必ず目を通し，その範囲内で使用すること。

4章

■2 表の作成

①3枚目「昨年度の販売状況」のスライドを表示する。
②スライドにある （**表の挿入**）をクリックする。❶

❶
[**挿入**]–[**表**]から作成してもよい。

③[**表の挿入**]のダイアログボックスが表示される。列数を「4」，行数を「7」に設定し， OK をクリックすると，表が作成される。

④表を選択し，[**テーブルデザイン**]タブをクリックする。[**表のスタイル**]にある▽をクリックする。デザインが一覧表示されるので，その中から[**スタイルなし、表のグリッド線あり**]をクリックする。

！注意
作成される表のデザインの配色などは，p.125で設定したテーマおよび配色によるものである。異なるテーマや配色を設定すれば，表の配色なども異なるものになる。

⑤表のデザインが変更される。各セルにデータを入力する。

！注意
更新プログラムの適用状況によりタブの名称が異なることがある。

⑥[**レイアウト**]タブをクリックし，表内の文字位置を整える。各操作は範囲を選択してから行うこと。

！注意
「じゃがバター」を入力すると，文字に赤い下線が自動的に表示されるが，これは文章校正機能が働いたことによる。スライドショーや印刷のときは表示されないので，このままでよい。

1行目　→　中央揃え

表全体　→　上下中央揃え

数値の入っているセル
（2列2行目から4列7行目）→　右揃え

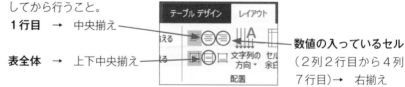

⑦表を拡大し，全体のバランスを整える。

❷
[挿入]-[グラフ]か
ら作成してもよい。

■3▶ グラフの作成

① 4枚目「来場者数の推移」のスライドを表示する。

② スライドにある 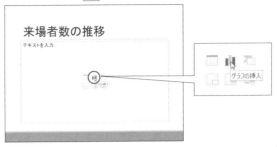（**グラフの挿入**）をクリックする。❷

!注意

作成されるグラフの
デザインの配色など
は,表と同様にp.125
で設定したテーマお
よび配色による。

③ [**グラフの挿入**]のダイアログボックスが表示される。[**縦棒**]-[**集合縦棒**]を選択
し OK をクリックすると,サンプルデータが入力されたシートとグラフが
表示される。

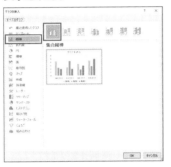 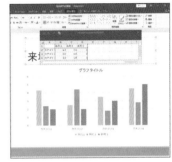

④ データを入力(修正)すると,入力と同時にグラフも変化する。

⑤ 青い枠の右下の□をドラッグしてデータ範囲を変更すると,選択した範囲がグラ
フとなる。

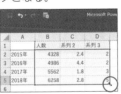 

⑥ シートの ✕ (**閉じる**)をクリックし,データの編
集を終了する。

⑦ [**グラフのデザイン**]-[**クイックレイアウト**]をクリックする。表示された中から,
[**レイアウト10**]をクリックすると,レイアウトが変わる。

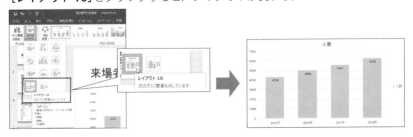

▶リンク

フォントサイズの変更
（→ p.126）

⑧グラフタイトルと凡例を非表示にする。 ➕（**グラフ要素**）をクリックすると項目が表示される。グラフタイトルと凡例のチェックをはずす。

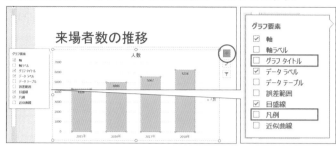

⑨データラベル（グラフにある人数の数値）を選択する。[**ホーム**]-（**フォントサイズ**）からフォントサイズを「28」にする。

4 ワードアート

❶ ワードアート
色や影など，特殊効果が設定された飾り文字のこと。表示されるデザインはp.125で設定したテーマや配色により異なる。文字の大きさを変更したいときは，文字をドラッグし，フォントサイズを変更する。

① [**挿入**]-[**ワードアート**]❶をクリックすると，ワードアートのスタイルが一覧表示される。ここでは，[**塗りつぶし：黒，文字色1；輪郭：白，背景色1；影（ぼかしなし）：白，背景色1**]を選択する。ワードアートが挿入され，「ここに文字を入力」と表示される。

❗注意
更新プログラムの適用状況により，スタイルの名称が異なることがある。

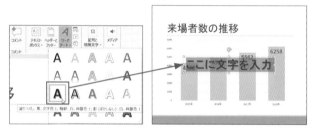

② 枠の中をクリックするとカーソルが表示されるので，[Back Space]などで不要な文字を削除する。次に「7割の人が食品を買えない！」と入力する。最後にワードアートを適切な位置にドラッグして配置する。

○ その他のデータの挿入
このほか，動画や音楽・音声データも挿入できる。動画は[**挿入**]-[**ビデオ**]，音楽・音声データは[**挿入**]-[**オーディオ**]と操作する。

類題 1 **5枚目のスライド「問題解決のために」を作成しよう** ファイル名：食品部門の改善案

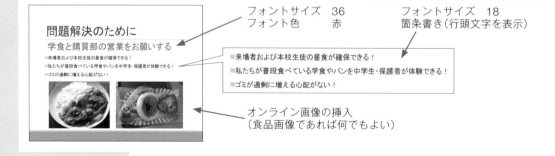

6枚目のスライドを表示し，SmartArtと図形を挿入してみよう。

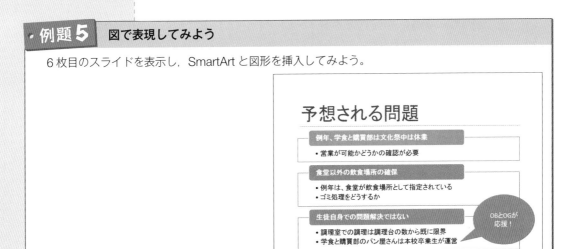

1 ▶ **SmartArt**

❷ SmartArt
組織図など複雑な図を簡単に作成することができる機能。

① 6枚目のスライドを表示し，スライドにある 🔲（SmartArt❷グラフィックの挿入）をクリックする。

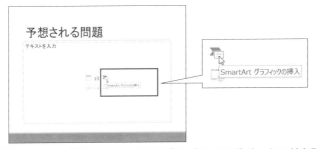

② [SmartArt グラフィックの選択]のダイアログボックスが表示される。[縦方向リスト]を選択し， ☐ OK ☐ をクリックすると挿入される。

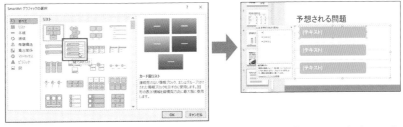

○ SmartArt 内での レベル設定
テキストウィンドウで入力する場合，レベルを下げるには[SmartArtのデザイン]−[レベル下げ]をクリックする。
見出しにするには同様に[レベル上げ]をクリックする。

③ 各ボックスをクリックし，文字を入力する。なお，文字入力はテキストウィンドウで行ってもよい。

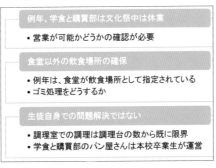

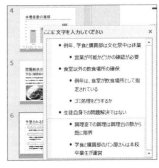

④各見出しの文字をドラッグし，[ホーム]-B(太字)をクリックすると，文字が太字になる。

この3箇所を太字に設定

（設定前）

（設定後）

⑤SmartArtの色を変更する。SmartArtを選択した状態で[SmartArtのデザイン]-[色の変更]をクリックする。表示された一覧の中から，[カラフル-全アクセント]をクリックする。

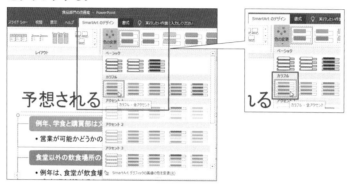

2 図形の挿入

①[挿入]-[図形]をクリックすると，描画できる図形が一覧表示される。[吹き出し]-[吹き出し：円形]をクリックする。

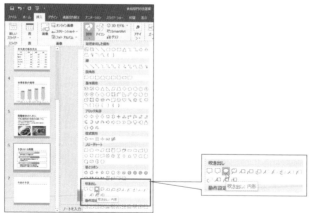

!注意
更新プログラムの適用状況により，図形の名称が異なることがある。

○ 図形の拡大・縮小
p.133の画像の拡大・縮小と操作方法は同じである。

②マウスポインターの形が+になるので，ドラッグして図を描く。描画後，適当な位置に図形を配置し，吹き出しの先にある○をドラッグして「運営」の文字へ方向を向ける。

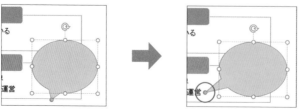

○ テキストボックス

文字のみを任意の位置に表示したいときは，テキストボックスを使用する。[挿入]−[テキストボックス]をクリックし，横書きか縦書きを選択後，図形と同様にスライド上でドラッグすると，文字を入れる枠が表示される。

③図形を選択した状態で，右クリックすると，メニューが表示される。[テキストの編集(X)]をクリックする。図形の中にカーソルが表示され，文字入力ができる状態になる。「OB と OG が応援！」と入力する。

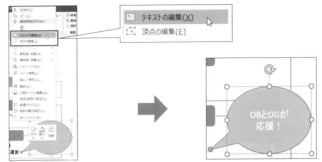

④図形の色を変更する。吹き出しを選択した状態で，[図形の書式]−[図形の塗りつぶし]から[オレンジ、アクセント４]をクリックする。吹き出しの色が変わる。

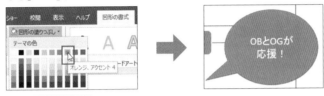

■＋α プラスアルファ　図形の順序

左のような場合，図形の順序を変えることができる。順序を変える図形を選択し，右クリックすると，メニューが表示される。[最前面へ移動(R)]などを選択する。

■＋α プラスアルファ　グループ化

複数の図形を１つの図形として扱うことができる。[Shift]を押しながら，図形を選択後，[図形の書式]−（グループ化）−[グループ化(G)]をクリックする。

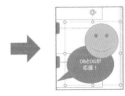

類題 2　7枚目のスライド「今後の予定」を作成しよう　　ファイル名：食品部門の改善案

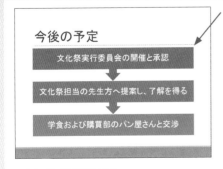

SmartArt［分割ステップ］

SmartArt の色を変更 → [カラフル-アクセント４から５]

必要のない枠はテキストウィンドウを表示し，[Back Space]を押して[テキスト]の行頭文字および文字を削除すると，枠も削除される。

3. 効果的なプレゼンテーション

スライドショーの見せ方を工夫して，聴衆の心をひき付けよう

これで解決！

　スライドショーとは，作成したスライドを全画面で順番に表示させる機能です。スライドショーを実行すると，作成したスライドはクリックするたびに，紙芝居のように次々と切り替わっていきます。しかし，ただ単純にスライドが切り替わるだけでは，単調なリズムになってしまい，聴衆が退屈してしまうかもしれません。ここでは，スライドの切り替え時やオブジェクトにアニメーション効果を設定し，スライドに動きを付けてみましょう。プレゼンテーションに抑揚を付けることで，聴衆の注目を集めることができます。

　ところで，せっかく時間をかけて準備した資料も本番で思うようにプレゼンテーションができないと，その努力も水の泡となってしまうかもしれません。必ずリハーサルを行って本番に備えましょう。リハーサルでは，伝えたいことが理解してもらえる構成になっているかどうか，資料に問題はないか，話すときの声の大きさやスピード，スライドを提示するタイミングなど，総合的な確認を行います。これは本番での緊張をなくすためだけではなく，プレゼンテーション全体に問題点がないかどうかをチェックするためです。人々を魅了するプレゼンテーションで有名な Apple 社の創業者スティーブ・ジョブズもリハーサルは事前に何度も入念に行っていたといわれています。リハーサルをしっかり行って，自信をもって本番に臨みましょう。

Keyword

画面の切り替え
　スライドショー実行時に，スライドを次のスライドに切り替えるときに表示されるアニメーション効果。
アニメーション
　文字や画像，グラフなどに設定する効果で，スライドショーのときに自分のタイミングでオブジェクトを動かすことができる。

・例題 6　スライドの見せ方を工夫しよう

　作成したスライドに，画面の切り替え効果やアニメーション効果を設定してみよう。
（ファイル名「食品部門の改善案」）

1 スライドショーの実行

①[スライドショー]-[最初から]をクリックすると，最初のスライドからスライドショーが実行される。

なお，選択しているスライドからスライドショーを実行するときは，[スライドショー]-[現在のスライドから]か，ステータスバーにある （スライドショー）をクリックするとよい。スライドショーを実行中に画面上でクリック，または は → を押すと次のスライドが表示される。

②スライドショーを終了するときは Esc を押すか，または画面上で右クリックし，[スライドショーの終了(E)]をクリックする。

2 画面の切り替え

①[画面切り替え]タブをクリックし，次に ▼ をクリックすると，効果が一覧で表示される。[ギャラリー]をクリックすると，画面の切り替え効果が設定される。

②[すべてに適用]をクリックすると，すべてのスライドに同じ画面の切り替え効果が設定される。

③スライドショーを実行し，動作を確認する。

3 アニメーション

①2枚目のスライドを表示し，文字が入力されている枠をクリックする。

②[アニメーション]タブをクリックし，次に ▼ をクリックすると，効果が一覧で表示される。[スライドイン]をクリックする。

次に[効果のオプション]をクリックし，方向を[左から(L)]，連続を[段落別(Y)]に設定する。

③画像をクリックして選択し，同様の手順で，[アニメーション]-[フェード]をクリックする。

④スライドショーを実行し，動作を確認する。

！注意

画面の切り替えは，各スライドで異なるものを設定することができる。

しかし，すべてに異なる設定をすると，スライドの動きばかりに注目がいってしまう恐れがあり，落ち着かないプレゼンテーションになってしまう。

○ 効果の削除

画面の切り替えおよびアニメーションを削除したいときは，それぞれ一覧表示の中の一番上にある[なし]をクリックする。

○ 効果の設定

[アニメーション]グループ右下の ⤡ をクリックして表示させる各効果のオプション画面では，アニメーションとともに音を鳴らしたり，アニメーションの速度を設定したりすることができる。

■4 ▶ アニメーションウィンドウ

アニメーションを実行するタイミングや，アニメーションする順番の変更，アニメーション時に音を鳴らすなどの詳細を設定するときは，[アニメーション]–[アニメーションウィンドウ]をクリックする。

[アニメーションウィンドウ]が表示されるので，ここで設定を行う。

アニメーションの順序が表示される。

アニメーションを付けたオブジェクトを選択し，▼または▲をクリックすると，アニメーションを実行する順序を変更できる。

クリック時に動作させるのか，連続して動作させるのかなど，実行のタイミングを設定できる。

類題 3　グラフにアニメーションを設定しよう　　　ファイル名：食品部門の改善案

4枚目のグラフを選択し，「ワイプ」「下から」「項目別」のアニメーションを設定してみよう。

類題 4　オブジェクトにアニメーションを設定しよう　　　ファイル名：食品部門の改善案

SmartArtや画像など，どのような設定が効果的かを考えてアニメーションを設定してみよう。

・例題 7　リハーサルをしてみよう

リハーサルを行い，タイミングを記録してみよう。

■1 ▶ リハーサル

① [スライドショー]–[リハーサル]をクリックすると，スライドショーが開始し，画面の左上に[記録中]のツールバーが表示される。

② 本番と同じように説明をする。説明が終わったら，画面をクリックし，次のスライドの説明をする。

③ すべてのスライドを表示し，説明を終え，画面をクリックすると，タイミングを記録するかどうかを確認するダイアログボックスが表示される。ここでは，はい(Y) をクリックする。

④ 「スライド一覧表示モード」に切り替えると，各スライドの下にリハーサルでかかった時間が表示される。

⑤ [スライドショー]–[最初から]をクリックすると，記録したタイミング通りに自動的にスライドが切り替わる。

!注意

スライドを切り替えるタイミングを記録すると，スライドショーは自動的に切り替わる設定となる。自分でクリックするタイミングで，プレゼンテーションを行いたいときは，[スライドショー]–[スライドショーの記録]–[クリア]–[すべてのスライドのタイミングをクリア(A)]を選択するか，[スライドショー]–[スライドショーの設定]をクリックし，スライドの切り替えを[クリック時(M)]に変更する。

2 ペンの利用

　スライドショー実行時に、注目してもらいたい部分があるときなどはペンを使って書き込みをする。
①スライドショーを実行すると、画面左下にスライドショーツールバーが表示される。　(ペンとレーザーポインターツール)をクリックする。
②メニューが表示されるので、色を選択し、[ペン]をクリックする。次にマウスでドラッグし、スライドに書き込みをする。

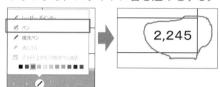

参考：スライドショーツールバー
前へ　次へ　すべてのスライドを表示
スライドを拡大
その他
ペンとレーザーポインターツール

③スライドショーの終了時に、インク注釈の保持(ペンの書き込みの保存)を確認するダイアログボックスが表示される。特に必要がなければ、破棄(D) をクリックする。

3 ノートペインの利用と発表者ビュー

①スライドの下にあるノートペインに、話す内容やメモなどを入力する。ノートペインが表示されていない場合は、[表示]-[ノート]をクリックする。

昨年度の販売状況です。
クラスおよび有志で出店した模擬店で販売した商品はカレーライス、焼きそば、じゃがバター、フランクフルト、クレープの全部で5種類で、すべて完売でした。

②スライドショーツールバーの　(その他)をクリックし、[発表者ツールを表示]を選択すると、「発表者ツール」に切り替わる。これはプロジェクターに投影する画面とは別に、発表者のパソコンにだけ表示される専用画面である。入力したノートを見ながら説明することや、次に表示するスライドを確認しながらプレゼンテーションを行うことができる。また、この発表者ツールでリハーサルを行うこともできる。

4 配布資料の印刷

　作成したスライドを資料として聴衆に配るときは、複数のスライドが1枚の用紙に収まるように配布資料として印刷するとよい。[ファイル]-[印刷]-[フルページサイズのスライド]をクリックし、表示されたメニューから状況に応じて形式を選択する。

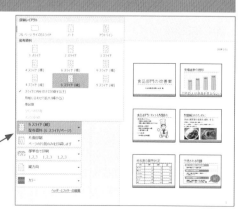

1枚目

2枚目

3枚目

4枚目

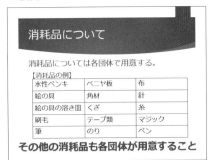

5枚目

6枚目

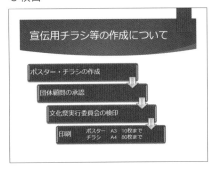

①デザインは，テーマ[**イオンボードルーム**]，バリエーションの中からグリーンの配色セットを選択する。

②フォントやプレースホルダーのサイズは，上記を参考に適切な大きさに変える。

③3枚目のスライドにある表のスタイルは[**スタイルなし、表のグリッド線あり**]にする。
「その他の消耗品も各団体が用意すること」はワードアートで作成し，太字にして文字色を「濃い赤、アクセント1」にする。

④4枚目のスライドにある「油性の塗料・・・使用しないこと。」には下線を引く。
「校内を汚さない！壊さない！」はワードアートで作成し，太字にして文字色を「濃い赤、アクセント1」にする。

⑤5枚目のスライドにある手順は，SmartArtの[**段違いステップ**]を使用する。SmartArtのスタイルは[**細黒枠**]に変更する。
「ポスター A3 10枚まで」などの文字は，テキストボックスで作成して重ねる。

⑥画面切り替えやアニメーションなどについては，各自で判断して適切な効果を設定すること。

ファイル名：睡眠に関する調査研究

1枚目

2枚目（画像データ「睡眠」）

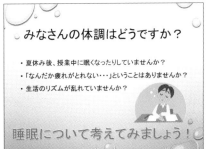

3枚目

4枚目

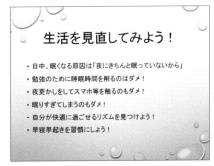

5枚目（画像データ「スマホ」）

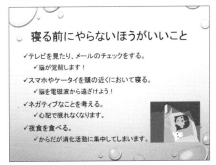

6枚目（画像データ「お風呂」）

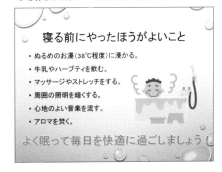

①デザインのテーマは，「しずく」を選択する。

②フォントやプレースホルダーのサイズは，上記を参考に適切な大きさに変える。

③3枚目の3-D円グラフのデータは，下記の通りである。グラフは作成後，[クイックレイアウト]から[レイアウト1]に変更する。

	A	B
1		人数
2	満足	2
3	だいたい満足	14
4	どちらともいえない	16
5	やや不満	5
6	不満	2

④5枚目のスライドは，箇条書きのマークを ✔ に変更する。

⑤下記の文章は，それぞれワードアートで作成する。
　ワードアートの色は，各自で工夫すること。
　2枚目「睡眠について考えてみましょう！」
　3枚目「ほぼ満足している人は約40％」
　6枚目「よく眠って毎日を快適に過ごしましょう！」

⑥2，5，6枚目には，画像を挿入する。

⑦画面切り替えやアニメーションなどは，各自で判断して適切な効果を設定すること。

特集 プレゼンテーションのコツ

相手に伝わる「プレゼンテーション資料作成のコツ」と「話し方のコツ」を紹介する。

1 プレゼンテーション 資料作成のコツ

準備 −3つのPを考える−

3つのPとは，People(誰に)，Place(どこで)，Purpose(何の目的で)である。

1 People(誰に)

例えばプレゼンテーションをする相手が小学生だけの場合と大人だけの場合では，スライドに含める内容や使用する漢字の割合などが異なる。まずプレゼンテーションをする相手の年齢層や性別など，聞き手がどのような人々なのかを分析しよう。

2 Place(どこで)

プレゼンテーションを行う場所が教室か，あるいは体育館のような大きな会場なのかによってもスライドの作り方が異なってくる。例えば体育館だと後方の人々はスライドの文字が小さいとよく見えないため，重要な項目だけを大きなフォントで表示するといった工夫が必要になる。このほか，会場の照明やパソコン，プロジェクターを使えるかどうかなどの確認も必要である。資料を作成する前に可能な限り，プレゼンテーションをする場所とその環境を確認しよう。

3 Purpose(何の目的で)

最も重要なのはプレゼンテーションの目的を明確にすることである。自分の提案を受け入れてもらえるよう相手を説得するために行うのか，自分の研究成果を発表して相手に理解してもらうために行うのかなど，その目的を明確にする。そしてスライドを作成するときには，自分の目的が達成できる資料になっているかを絶えず意識するように心がけよう。

スライドの作成 −内容と外観を考える−

内容(論理的な構成)と外観(視覚的な構成)を考えて，スライドを作成する。

1 アウトラインからストーリーへ

テーマが決まったら，伝える内容を大まかに決めてアウトラインを作成する。PowerPointのアウトラインモードで，思い付いたことを入力していき，それを並べ替えたり，項目に分類したり，レベルを付けたりするなどの作業を行う。このアウトラインから，全体の論理展開を考え，ストーリーを組み立てていく。伝えたい内容を，「具体的に」「どのような順序」で説明していくかを考え，ストーリーを完成させる。基本的には，序論，本論，結論という三部構成にするとよい。「導入」から「まとめ」まで内容が伝わる構成になっているかを確認する。

2 情報を視覚化する

文字のみのスライドよりも図やグラフなどで視覚化すると相手は理解しやすい。入力した内容の中で図解できるものは，図形，表，グラフなどにしていく。また，イメージを伝えるためのイラストや写真なども有効である。スライドに入れる文字数をなるべく減らし，相手が理解しやすいように表現する。

3 レイアウト

情報を伝達する上で「どこに」「何を」配置するかというレイアウトも重要な要素である。

具体的には，まず伝えたい情報を明確にし，重要な箇所は文字を大きくするなど，文字や画像などの大きさに変化を付ける作業を行う。次に，相手の視線の流れを意識しながら，各オブジェクトの配置を行う。一般的に，視線は「左から右」「上から下」へ流れるので，これに沿っているかを確認する。

4 配色

色は相手に情報を伝える重要な手段の一つであり，大きく分けて二つの役割がある。一つは，「重要な箇所を強調」や「項目の分類を明示する」などの機能的な役割である。そしてもう一つは，プレゼンテーション全体のイメージを統一するなど，演出的な役割である。

配色するにあたっては，どこにどんな色を使うかというルールを決めて行う。なお，色数は多すぎると見づらくなるため，少なめにするとよい。また，濃い色は強調箇所のみ使用したほうが見やすい。

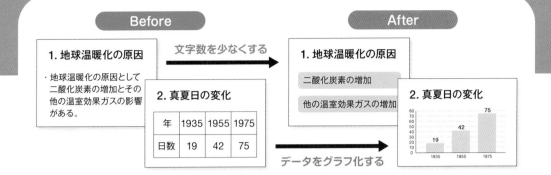

一般的に，赤やオレンジなどの暖色系は「元気」「陽気さ」などのイメージを，青や青緑などの寒色系は「落着き」「爽快感」などのイメージを相手に与える。色の与えるイメージを意識し，バランスを考えて配色を行う。配色後は，プレゼンテーション全体を見直し，「強調」や「分類」などがルールに沿っているか，また全体が統一したイメージで配色されているかどうかの確認をする。

 話し方のコツ

1 姿勢

　姿勢の悪さは，「やる気がない」「だらしがない」といった発表者への印象の悪さにつながる。立ち姿がきちんとしていれば相手に信頼感を与えることができる。背筋を伸ばして胸を張り，少しだけあごを引いて立つように心がけよう。

2 声の大きさと強弱

　あまりに小さな声で話すと自信がないように相手に伝わってしまう。しかし，最初から最後まで大きい声で話してしまうと，今度は相手に威圧感を与えてしまうこととなる。会場の広さに応じた適度な声の大きさを意識し，大切な箇所では声を大きくするなどの強弱を付けて話すとよい。

3 話すスピード

　あまりにゆっくり過ぎるスピードは，相手が退屈してしまう。しかし，あまりに速すぎるのも相手に内容が伝わらないだけでなく，落ち着きがないといった印象を与えてしまうことになる。普段の自分が話すスピードを確認し，話す速度を調整しよう。一般的には緊張からスピードが上がる傾向があるので，ほとんどの場合「ややゆっくり」を意識して話せばよい。

4 リズム

　変化のない単調な話し方では，相手は飽きてしまい，最後まで話を聞いてもらうことができない。「テンポよく」「明るく」「メリハリのある」話し方をしよう。また，「間」も大切である。熱が入ってしまい，間を取らずに話を続けてしまうと，重要なポイントが目立たなくなり，伝わらないプレゼンテーションになってしまう。大切な部分で，ひと呼吸おけば相手の注目を集めることができる。リズムを作って話すことを心がけよう。

5 アイコンタクト

　「原稿ばかりを見ている」「スライドばかりを見ている」といった発表者のプレゼンテーションは，相手の心に響かない。聴衆一人ひとりと視線を合わせるようにすると，相手は「自分に対して話してくれている」という印象をもつ。前を向いて堂々と話し，積極的にアイコンタクトを取るように心がけよう。

6 身振り手振り

　発表者が全く動かずに話しているだけでは，相手は飽きてしまう。身振りや手振りなどの動きがあると，相手に熱意をもってプレゼンテーションをしていることが伝わる。「壇上を動く」「スライドの項目を手で示す」「手を上げる」などのアクションを加えてみよう。

7 表情

　聴衆は，発表者の表情からも情報を受け取っている。暗い表情であれば「深刻な話」「悪い情報」といった認識をしてしまう。「笑顔」または「自然と穏やかな表情」になるように心がけよう。
　緊張してしまって，どうしても表情が硬くなったときには口角を上げるとよい。笑顔に近い表情を作ることができる。相手に安心感・信頼感をもたらす表情を意識しよう。

1. 画像の編集

画像を編集してみよう

これで解決！

　デジタルカメラで撮影した写真は，そのまま使うこともありますが，多くの場合，画像サイズの変更やトリミングなどの編集作業を行います。ここでは，画像のさまざまな編集方法について学習しましょう。

Keyword

レタッチ

　画像データを修整する作業のこと。具体的な作業として，画像の色の補正，トリミング，合成などがあげられる。写真を修整することをフォトレタッチといい，専用のソフトウェアとして Adobe Photoshop Elements などがある。

トリミング

　不要な部分を削除して，必要な部分だけを切り出す作業のこと。

例題1　画像編集の方法

　Microsoft Office2019 に付属するフォトレタッチ機能を使って画像編集をしてみよう。

1　明るさとコントラストの調整

① [挿入]－[画像]をクリックし，ファイル名「東京」（画像データ）を選択して 挿入(S) をクリックする。

② 画像を選択した状態で， [図の形式]－[修整]をクリックする。

!注意

ここでは PowerPoint を用いて説明を行っているが，同じ操作を Word や Excel でも行うことができる。

③[明るさ：-20% コントラスト：+40%]をクリックすると，明るさとコントラストが変更される。

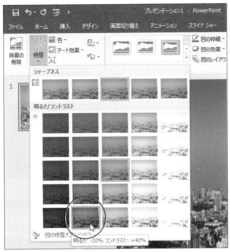

プラスアルファ 図の書式設定

[図の形式]-[修整]-[図の修整オプション(C)]をクリックすると，[図の書式設定]の作業ウィンドウが画面右に表示される。ここでは，スライダーを使って明るさやコントラストを細かく設定することができる。

2 ▶ 図の効果

❶ 図の効果
画像に影や光彩などを付けたり，画像全体を立体的に表現する3-D回転を利用したりなど，さまざまな視覚効果を設定することができる。

画像を選択した状態で，[図の形式]-[図の効果❶]-[ぼかし(E)]-[50 ポイント]をクリックすると，画像データ全体にぼかしの効果が適用される。

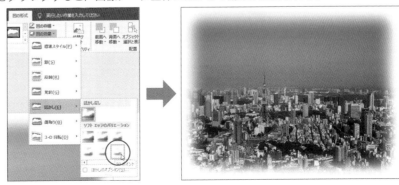

■3 ▶ 色調の変更

　画像を選択した状態で，[図の形式]-[色]をクリックする。
色の彩度やトーンなど，ここから変更することができる。

■4 ▶ アート効果

　画像を選択した状態で，[図の形式]-[アート効果]をクリックする。
画像にぼかしやパッチワークなどの特殊効果を設定することができる。

■5 ▶ トリミング

①[挿入]-[画像]をクリックし，ファイル名「バラ」（画像データ）を挿入する。
②画像を選択した状態で，[図の形式]-[トリミング]をクリックする。

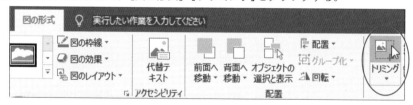

③画像の周囲にハンドルが表示される。ハンドルの上にマウスを合わせドラッグし，
　使用する部分だけが残るように変更する。

④もう一度[トリミング]をクリックすると，トリミングが終了し確定する。

左段：

○ 図として保存

編集した画像のみを保存することができる。

画像を選択した状態で右クリックし，表示されたメニューの中から[図として保存(S)]をクリックすると，[図として保存]のダイアログボックスが表示される。
PNG，JPEG，GIF，BMP などの形式での保存が可能である。

!注意

トリミングのボタンは，上下に分かれている。
ここでは，上をクリックする。

　　←上
　　←下

下をクリックすると，[図形に合わせてトリミング(S)]なども行える。

❶ 背景の削除

透明化（削除）する部分が範囲に含まれていないときには，**[削除する領域としてマーク]**のボタンをクリックし，マイナスのマークを付けていく。
逆に，必要な部分が削除対象になっているときは**[保持する領域としてマーク]**をクリックし，プラスのマークを付けていく。

①画像を選択した状態で，**[図の形式]**-**[背景の削除❶]**をクリックする。
②透明化する対象の部分が紫色になる。

③**[背景の削除]**-**[削除する領域としてマーク]**をクリックする。

④マウスポインターがペンの状態になる。不要な部分を囲むと，透明化する対象として追加される。

⑤**[背景の削除]**-**[変更を保持]**をクリックすると，指定した箇所が透明になる。

⑥続けて**[挿入]**-**[画像]**からファイル名「線路脇」（画像データ）を挿入する。新しい画像が読み込まれたため，ファイル名「バラ」が見えなくなる。**[図の形式]**-**[背面へ移動]**-**[最背面へ移動(K)]**をクリックすると，画像が表示されるので，サイズや位置を調整して完成させる。

5章

2. Web サイトでの情報発信

Web ページを作ってみよう

これで解決！

Webページを作成するには，専用のソフトウェアを使用する場合もありますが，HTML というマークアップ言語を学習すれば，テキストエディターで作成することができます。また，専用のソフトウェアで作成した場合でも，HTML がわかっていると，簡単に修正することが可能です。ここでは，HTML について学習しましょう。

Keyword

マークアップ言語

文章の構造や体裁などに関する指定を文章とともにテキストファイルに記述するための言語のこと。文章に対する構造や体裁の指定を**マークアップ**といい，マークアップを記述するための文字を**タグ**という。

HTML（Hyper Text Markup Language）

Web 上で公開する文書（Web ページ）を記述するためのマークアップ言語のこと。現在，インターネット上で公開されている Web ページのほとんどは，HTML タグでマークアップされた HTML 文書である。HTML にはバージョンがあり，最新のバージョンは HTML5 である。

Web ページ作成ソフト

簡単に Web ページを作成することが可能な専用ソフトウェアのこと。Web オーサリングツールともいう。市販されている製品の中では，Dreamweaver やホームページビルダーが有名である。このソフトウェアがあれば，HTML の知識が豊富でなくても Web ページを作成することが可能となるが，細かい箇所を修正するときに HTML の知識が必要な場合もある。

テキストエディター

文字のみのファイル（テキストファイル）を作成，編集するためのソフトウェアのこと。文字（テキスト）の入力やコピーなどの機能はもつが，レイアウトや文字飾りなどの機能はもたず，プログラミングなどで使用されることが多い。Windows にはテキストエディターとして「メモ帳」が標準で付属しているが，このほかにも高機能で無料のソフトウェアが数多くある。

例題2　HTMLソースを見てみよう

　Web ブラウザーで実教出版（http://www.jikkyo.co.jp/）の Web ページを表示し，HTML ソース❶を見てみよう。

❶ HTML ソース

ソースとは，プログラムが記述されているテキストのことをいい，この場合，HTML タグが記述された文書のことをさす。公開されている Web ページのほとんどは，HTML ソースを表示することができる。

気になった Web ページを見つけたときには HTML ソースを表示してみるとよい。どのように記述しているのか参考になる。

○ HTML ソースの表示

表示されたページの余白部分で右クリックすると，メニューが表示されるので，**[ソースの表示]** をクリックしてもよい。

1　ブラウザーの起動とソースの表示

① Microsoft Edge を起動し，アドレスバーに「http://www.jikkyo.co.jp/」と入力する。

　　 Enter を押すと，実教出版の Web ページが表示される。

② F12 を押すと，Microsoft Edge の開発者ツールが起動し，HTML ソースが表示される。

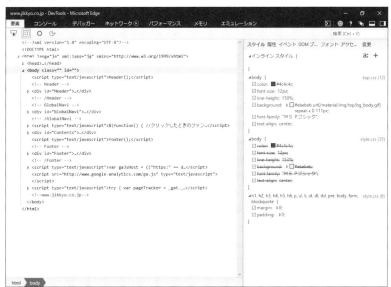

③ ✕ **(閉じる)** ボタンをクリックする。

5章

メモ帳を起動し，HTMLファイルを作成してみよう。
（ファイル名「index.html」）

■ 1 ▶ 拡張子の表示

①デスクトップにある[**PC**]のアイコンをダブルクリックする。アイコンがない場合は，スタートボタンを右クリックして，[**エクスプローラー(E)**]をクリックする。

②[**表示**]タブをクリックし，[**ファイル名拡張子**]にチェックを入れると**拡張子**❶が表示される。

■ 2 ▶ メモ帳の起動

スタートボタンをクリックし，[**Windows アクセサリ**]-[**メモ帳**]をクリックする。

■ 3 ▶ HTMLファイルの作成と保存

①Webページに表示する文章を入力する。

②文章の最初に <html><body>，最後に </body></html> という本文を示すタグを半角英字で追加する。❷

最初

最後

❶ **拡張子**
ファイルの種類を示すもので，初期設定では表示されていない。表示する設定に変更すると，ファイル名の後に.（ドット）と3〜4文字が表示される。この文字が拡張子である。docxが付いているファイルはWordのファイルであることを表す。
HTMLファイルではハイパーリンクの設定や画像ファイルの指定などに，拡張子までを含めたファイル名を表記する必要がある。

❷
タグで印を付けることを**マークアップ**という。

③[ファイル]-[名前を付けて保存(A)]をクリックする。保存場所をデスクトップにし，ファイル名に「index.html」と入力し 保存(S) をクリックする。

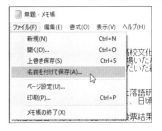 

④デスクトップに保存された「index.html」をダブルクリックすると，Web ブラウザーが起動しWeb ページが表示される。②で記述した「<>」で囲んだ文字は表示されない。これらはHTML タグである。

プラスアルファ HTML タグ

　「<>」で囲まれた半角の英数字で，Web ページはこれに基づいて作られている。タグで印を付けた文書を**HTML ファイル**という。基本的に「<」と「>」で囲む**開始タグ**，「</」と「>」で囲む**終了タグ**で文章を挟み込んで記述する。
<html> ～ </html>　HTML ファイルの開始と終了を表すタグ。
<body> ～ </body>　本文の開始と終了を表すタグ。

⑤「index.html」に次のタグを追加❸し，上書き保存をする。

見出し　<h○> ～ </h○>
　　見出しを表すタグ。
　　○には 1 ～ 6 の数字が入る。
　　1 が最大のレベル。
段落❹　<p> ～ </p>
　　段落を表すタグ。
番号付きリスト　<ol> ～ </ol>
　　項目やリストを番号付きで並べるときに使用するタグ。
リストアイテム　<li> ～ </li>
　　各項目の要素を示すタグ。

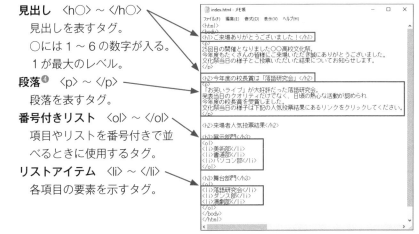

⑥ブラウザーの ↻ (最新の情報に更新)をクリックし，「index.html」を再読み込みして確認する。

!注意
このとき，保存した後もメモ帳を開いたままにしておく。

!注意
パソコンの環境によっては，起動するWeb ブラウザーを選択する画面が表示されることがある。

!注意
ブラウザーの表示幅によって文字の折り返す位置が変わるため，右と同じ表示結果になるとは限らない。

!注意
メモ帳で改行をしても，Web ページでは改行した状態で表示されない。改行を指示するHTML タグが必要である。

❸
タグの追加などはメモ帳で行う。「index.html」を閉じたときはメモ帳で開くこと。

❹ 段落
<p> から </p> で囲った範囲を一つの段落として扱う。メモ帳上で改行してもブラウザー上では反映されない。

○ 番号なしリスト
<ul> ～ </ul>
項目やリストを番号なしで箇条書きにするときに使用するタグ。

▌4 ▶ タイトルの追加

①「index.html」に次のタグを追加し，上書き保存をする。

ヘッダー 〈head〉〜〈/head〉
本文には表示しない情報を入力する部分をこのタグで確保する。

タイトル 〈title〉〜〈/title〉
ページのタイトルを表示するタグ。

```
index.html - メモ帳
ファイル(F) 編集(E) 書式(O) 表示(V) ヘルプ(H)
<html>
<head>
<title>第25回〇〇高校文化祭</title>
</head>
<body>
<h1>ご来場ありがとうございました！</h1>
```

②ブラウザーの ⟳ **(最新の情報に更新)**をクリックし，「index.html」を再読み込みして確認する。

▌5 ▶ 画像の表示

①デスクトップにファイル名「oogiri.png」（画像データ）を置く。

②「index.html」に次のタグを追加し，上書き保存をする。

画像の表示 〈img〉
終了タグはない。

```
<h2>今年度の校長賞は「落語研究会」</h2>
<p>
<img src="oogiri.png" width="425" height="281" alt="大喜利">
</p>
```

③ブラウザーの ⟳ **(最新の情報に更新)**をクリックし，「index.html」を再読み込みして確認する。

○ **画像の形式**

Webページで使用できる画像のファイル形式は，GIF（gif），JPEG（jpg），PNG（png）である。また，Webサーバーなどが全角文字や一部の記号に対応していない場合があるため，ファイル名やフォルダー名には半角英数字を使う必要がある。

プラスアルファ <img> タグ

・形式 〈img src="画像ファイル名"〉
src は SouRCe（ソース）のことで，指定した画像ファイルが表示される。
・画像サイズの指定
width="425" 画像の幅をドット数で指定
height="281" 画像の高さをドット数で指定
・代替テキストの指定
alt="大喜利"
読み込みに失敗したときに指定した文字を表示するほか，視覚障がいの人が使う読み上げ機能付きブラウザーもこの文字を読み上げるので必ず付ける。

類題 1 **新規に Web ページを作成してみよう**

ファイル名：rakugo.html

次のような Web ページを作成してみよう。
①デスクトップにファイル名「poster.jpg」（画像データ）を置く。
②メモ帳で HTML ファイルを作成する。「poster.jpg」の画像サイズは幅 319 ドット，高さ 452 ドットで表示し，代替テキストには「お笑いライブ」を指定する。
③「rakugo.html」という名前でデスクトップに保存する。

6 ▶ ハイパーリンクの設定

①「index.html」に次のタグを追加し，上書き保存をする。

ハイパーリンク❶の設定 〈a〉 ～ 〈/a〉
別の Web ページへジャンプするタグ。

```
<h3>舞台部門</h3>
<ol>
<li><a href="rakugo.html">落語研究会</a></li>
<li>ダンス部</li>
```

②ブラウザーの ↻ **（最新の情報に更新）**をクリックし，「index. html」を再読み込みすると，「落語研究会」の文字にリンクが設定されているのが確認できる。クリックすると，落語研究会の Web ページへジャンプする。

舞台部門
1. 落語研究会
2. ダンス部
3. 演劇部

➕α プラスアルファ <a> タグ

・形式 〈a href="ファイル名"〉リンク先として表示する文字〈/a〉
　a は Anchor（アンカー）で「いかり」「固定する」などの意味がある。
　href は Hypertext REFerence（ハイパーテキストリファレンス）の略。
・外部サイトへのリンクはファイル名の部分に URL を記述する。
　（例）　〈a href="http://www.jikkyo.co.jp/"〉実教出版〈/a〉

【絶対パスと相対パス】

　ファイルが存在する場所を指定する方法に相対パスと絶対パスがある。パス（path）とは道のことで，つまりファイルがある場所までの道のりである。

絶対パス

　階層構造の頂点から目的のファイルまでの場所を省略せずにすべて記述する方法である。PC では「C:……¥index.htm」のようにドライブからファイルなどを ¥ で区切って場所を指定する。HTML ファイルでは，http:// から始まる URL を使ってファイルの場所を記述する。ほかのサイトなどにリンクするときは絶対パスで記述する。

相対パス❷

　基準となるファイルから見て任意のファイルの場所を指定する方法である。例題では，すべてデスクトップにファイルを置いている。つまり同じ場所にあるので，互いの位置関係を記述しなくても表示ができていたのである。ここで「img」という名前のフォルダーを作成し，画像ファイルをこのフォルダーへまとめてみよう。この状態で「index.html」をダブルクリックしてみると，右図のように画像が表示されなくなる。それは，画像のある場所が正しく指定できていないからである。「index.html」を開き，次のように変更してみよう。再読み込みをすると画像が表示される。

〈img src="img/oogiri.png" width="425" height="281" alt="大喜利"〉

　このように，下位の階層にあるファイルを指定するときはフォルダー名に続けて / を入れてファイル名を記述する。上位階層にあるファイルを指定するときは ../ に続けてファイル名を記述する。
　（例）　〈a href="../index.html"〉トップページに戻る〈/a〉

類題 2　落語研究会の Web ページにリンクを設定しよう　　　ファイル名：rakugo.html

　「rakugo.html」を開き，「index.html」へ戻るようにリンクを設定しよう。

文化祭のページに戻る

側注：

❶ ハイパーリンク
デジタルデータの文中にある文字や画像などにほかの文書や画像の位置情報を埋め込むことをいう。単にリンクともいう。

❷ 相対パス
2つ上の階層を指定するときは ../../ と続けてからファイル名を記述する。

5章

3. 電子メール

メールを使いこなそう

こ れ で 解 決 !

デジタルカメラで撮影した写真は解像度が高いとファイルサイズが大きく，そのままメールに添付して送ると，受け取る相手は受信に時間がかかってしまいます。それだけでなく，場合によってはメールボックスの容量を超えてしまい，そもそも受信できないといったことも起こる可能性があります。ファイルを添付する場合にはファイルサイズを必ず確認しましょう。

メールは，さまざまな人々が利用しているコミュニケーションツールです。その仕組みやマナーを学び，受信者の負担にならないように配慮することを心がけましょう。

Keyw🌐rd

メールソフト

電子メールの作成や送受信，受信したメールの保存や管理を行うアプリケーションソフトウェアのこと。**メーラー**ともいう。

添付ファイル

Excel や Word で作成したファイルなどをメールの本文に付けて送信することができるファイルのこと。

例題4　電子メールを送受信してみよう

メールソフトの設定をし，メールを送信してみよう。

> **！注意**
> ここではOutlook2019を用いて説明する。ほかのメーラーを使用する場合でも，基本的な設定や使い方は同じである。

1 メールソフト(メーラー)の設定

① Outlook2019 を起動する。はじめて使用する場合は，アカウントの設定画面が表示される。
メールアドレスを入力し，次に**[詳細オプション]**をクリックする。**[自分で自分のアカウントを手動で設定]**が表示されるので，□をクリックしてチェックを付け，［接続］をクリックする。

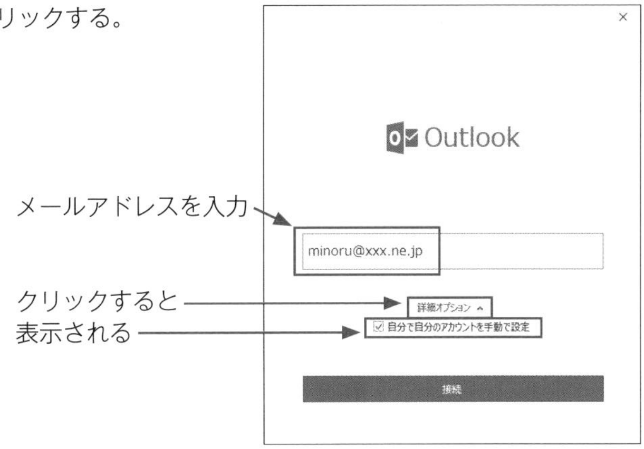

②**[詳細設定]**の中から「POP」をクリックすると，**[POP アカウントの設定]**が表示される。
プロバイダーから送られてきた情報を元に，サーバーのアドレスやポート番号などを入力する。
学校の場合は，先生が指示した設定情報を入力し，最後に［次へ］をクリックする。

> **！注意**
> ここで例示したメールアドレスやサーバーのアドレスは，いずれも架空のものである。実際には，学校で使用する場合の設定情報や，家庭で契約したプロバイダーの情報を入力する。

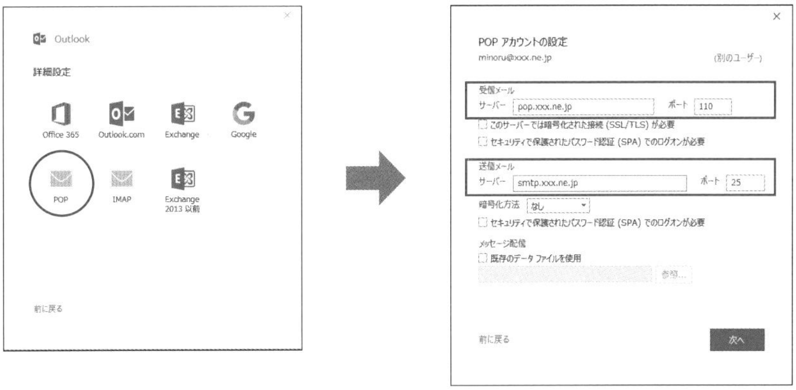

③ POP アカウントのパスワードを入力する画面が表示される。パスワードを入力し［接続］をクリックする。「アカウントが正常に追加されました」と表示されたら，［完了］をクリックする。

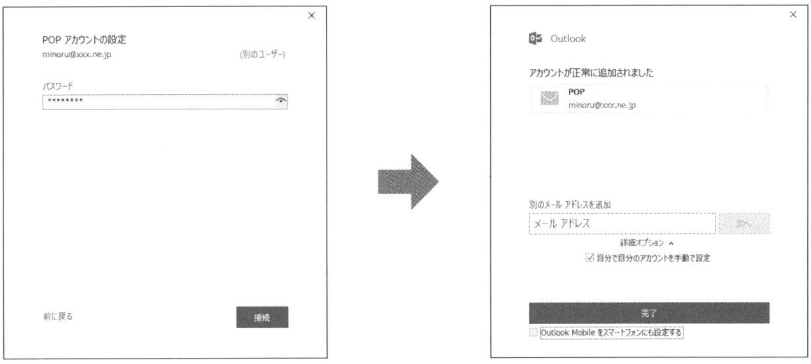

左段

❶ 宛先／TO

メールの送り先。複数のメールアドレスを入力することもできる。

❷ CC
（Carbon Copy）

この欄にメールアドレスを入力した場合は，TO へ送信したメールのコピーであることを表す。ビジネスにおいては，TO に取引先のメールアドレスを入れ，CC に上司のメールアドレスを入れて報告するといった形で使われている。

TO で送信した相手にも CC で送信した相手にもメールアドレスが表示されるため，受信者どうしがメールアドレスを互いに知っているときに使う。

❸ BCC
（Blind Carbon Copy）

ここに入力されたメールアドレスは，TO や CC やほかの BCC での受信者に表示されない。受信者のメールアドレスを表示させずにメールのコピーを送りたいときに使用する。BCC の欄が表示されていないときは，**[オプション]−[BCC]**をクリックする。

▶**リンク**

電子メールのマナー
（→ p.179）

■ 2 ▶ メールの作成と送信

① **[ホーム]**−**[新しいメール]**をクリックすると，メッセージの作成ウィンドウが表示される。

② 宛先❶，件名，本文などの必要事項を入力する。メールは基本的に下記の⑦〜⑰の項目を入力する。

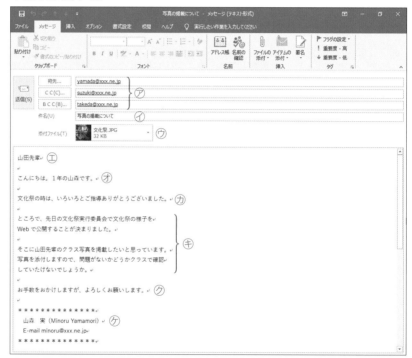

⑦ TO，CC ❷，BCC ❸
　それぞれメールアドレスを入力する。
④件名
　メールの内容がわかるように具体的にかつ簡潔に書く。
⑦添付ファイル
　[メッセージ]−**[ファイルの添付]**をクリックし，添付するファイルを選択する。
①送り先の所属と名前
⑦自分の所属と名前
⑦書き出しの挨拶
⑦本文を入力
　読みやすくするため，１行は 30 字程度で改行する。
⑦結びの挨拶
⑦署名（シグネチャ）

③[送信]をクリックすると，メールが送信される。送信が完了したメールは[送信済みアイテム]に移動する。

❚ 3 ▶ メールの受信

①アカウントを選択した状態で，[送受信]-[すべてのフォルダーを送受信]をクリックする。

②メールが到着していれば[受信トレイ]に新しく受信したメールの数が表示される。到着したメールをダブルクリックすると，開封されメールの内容が表示される。

ダブルクリック →

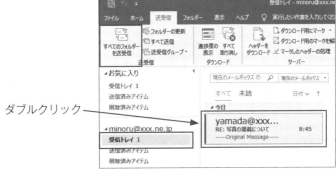

┼α プラスアルファ **Outlook のオプション**

[ファイル]-[オプション]-[メール]をクリックすると，作成するメッセージの初期設定を HTML 形式からテキスト形式に変更することなど，メールに関する詳細設定を変更することができる。

なお，Outlook2019 はメールの機能だけではなく，予定表や仕事などのスケジュール管理や連絡先などの管理も行える機能をもっている。

○ メールの形式

新しいメールを作成するときに，[書式設定]からメールの形式を変更することも可能である。

5 章

1. マクロ機能の利用

マクロを作成して処理を自動化してみよう

これで解決！

　Excelで行うさまざまな処理を自動化できるのがマクロです。よく行う操作をマクロとして登録すれば，マクロの実行を指示するだけで一連の操作が実行されるので，何度も同じ操作をしないで済むようになります。ここでは，マクロの作成に関する基本操作について学びましょう。

Keyword

マクロ

　複数の操作を実行する順番に定義したもののこと。一連の操作を定義するには，「マクロの記録」ボタンを押して操作した内容を記録して登録を行う。登録したマクロを実行することで，その記録した操作が自動的に行われるしくみとなっている。

例題1　マクロを作成してみよう

　ファイル名「集計表」（ひな形データ）を開き，合計の多い順に表を並べ替えたあとにB列を表示しないという操作を行い，これをマクロとして登録してみよう。登録後，マクロを実行してみよう。
（ファイル名「集計表」）

	A	B	C	D	E	F	G
1	投票集計表						
2							
3	クラス	分類	生徒	教員	一般	合計	順位
4	1年1組	創作	80	87	255	422	21
5	1年2組	演劇	87	53	655	775	13
6	1年3組	創作	71	83	484	638	16
7	1年4組	創作	52	72	239	363	23
8	1年5組	演劇	54	52	820	926	8
9	1年6組	研究	98	75	225	398	22
10	1年7組	研究	88	52	452	592	17
11	1年8組	演劇	107	51	690	848	10
12	2年1組	演劇	100	61	927	1088	3
13	2年2組	演劇	94	70	923	1087	4
14	2年3組	体験	64	79	684	827	11
15	2年4組	体験	140	86	688	914	9
16	2年5組	演劇	115	90	145	350	24
17	2年6組	体験	149	57	938	1144	1
18	2年7組	体験	131	81	280	492	19
19	2年8組	演劇	66	55	670	791	12
20	3年1組	食品	97	81	495	673	15
21	3年2組	食品	114	74	245	433	20
22	3年3組	食品	119	58	825	1000	7
23	3年4組	ダンス	146	61	850	1057	6
24	3年5組	食品	89	52	403	544	18
25	3年6組	ダンス	112	69	938	1170	2
26	3年7組	食品	71	57	602	730	14
27	3年8組	ダンス	50	54	962	1066	5

	A	C	D	E	F	G
1	投票集計表					
2						
3	クラス	生徒	教員	一般	合計	順位
4	2年6組	149	57	938	1144	1
5	3年6組	112	69	938	1120	2
6	2年1組	100	61	927	1088	3
7	2年2組	94	70	923	1087	4
8	3年8組	50	54	962	1066	5
9	3年4組	146	61	850	1057	6
10	3年3組	119	58	825	1000	7
11	1年5組	54	52	820	926	8
12	2年4組	140	86	688	914	9
13	1年8組	107	51	690	848	10
14	2年3組	64	79	684	827	11
15	2年8組	66	55	670	791	12
16	1年2組	87	53	655	775	13
17	3年7組	71	57	602	730	14
18	3年1組	97	81	495	673	15
19	1年3組	71	83	484	638	16
20	1年7組	88	52	452	592	17
21	3年5組	89	52	403	544	18
22	2年7組	131	81	280	492	19
23	3年2組	114	74	245	433	20
24	1年1組	80	87	255	422	21
25	1年6組	98	75	225	398	22
26	1年4組	52	72	239	363	23
27	2年5組	115	90	145	350	24

　マクロを作成するときには[**開発**]タブにあるボタンを利用するので，Excel の設定を変更する。

①[**ファイル**]-[**オプション**]をクリックすると，[**Excel のオプション**]のダイアログボックスが表示される。

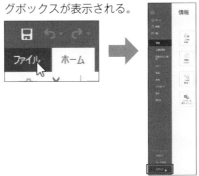

②[**リボンのユーザー設定**]を選択し，[**開発**]にチェックを入れ，　OK　をクリックする。

③[**開発**]タブが表示される。

■ **2** ▶ マクロの作成

①[**開発**]-📋(**マクロの記録**)をクリックする。

6章

②[**マクロの記録**]のダイアログボックスが表示される。マクロ名を「合計順」に変更し，　OK　をクリックすると，マクロの記録が開始する。

!注意
マクロの保存先は「作業中のブック」とする。

③セル F4 を選択し，[ホーム]-[並べ替えとフィルター]-[降順(O)]をクリックすると，表が合計点の多い順に並び替わる。

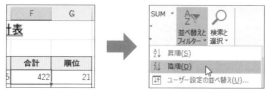

④B 列を選択後，右クリックして[非表示(H)]をクリックする。

⑤[開発]-■(記録終了)をクリックすると，操作の記録が終了する。

類題 1 　表を元のクラス順に並べ替えるマクロを作成してみよう

ファイル名：集計表

　ファイル名「集計表」に，下記の操作をマクロ名「クラス順」で登録しよう。
①A 列と C 列を選択し，右クリックして B 列を再表示する。
②表をクラス順に並べ替える。
　ヒント：セル A3 〜 G27 まで選択し，[ホーム]-[並べ替えとフィルター]-[ユーザー設定の並べ替え]をクリックする。[先頭行をデータの見出しとして使用する]にチェックを入れた状態で，最優先されるキーを「クラス」，順序を「昇順」に設定する。

！注意

マクロの実行は，類題 1 を行ってから操作すること。マクロを実行してしまうと，ち(元に戻す)をクリックしても表は元の状態に戻らない。類題 1 では，元に戻すマクロを作成している。

○ マクロの削除

作成したマクロを削除するときは，マクロ名を選択し削除(D)をクリックする。

3 マクロの実行

①[開発]-(マクロ)をクリックする。

②[マクロ]のダイアログボックスが表示される。「合計順」を選択し，実行(R)をクリックすると，マクロが実行され，表が合計点の多い順に並び替わる。

類題 2 　「クラス順」のマクロを実行してみよう

ファイル名：集計表

　ファイル名「集計表」に登録したマクロ「クラス順」を実行し，表を元の状態に戻してみよう。

4 ▶ マクロを含むブックの保存

マクロを含むブックを保存するときは，通常の Excel ブックでは保存できない。
「マクロ有効ブック」としてブックを保存する必要がある。

①[**ファイル**]–[**名前を付けて保存**]–[**参照**]をクリックすると，[**名前を付けて保存**]
のダイアログボックスが表示される。[**ファイルの種類(T)：**]を「Excel マクロ有
効ブック」に変更し，　OK　をクリックする。

5 ▶ セキュリティの設定（コンテンツの有効化）

Excel ではマクロウイルスなどが実行されないように，マクロを含むファイルを
開くと，通常はマクロが無効になる。ここでは，保存したマクロを有効にする方法
を確認する。

①[**ファイル**]–[**開く**]から，「集計表」（マクロ有効ワークシート）のファイルを選択
し，　開く(O)　をクリックする。

ファイルの種類が
マクロ有効ワーク
シートであるファ
イルを選択

②ファイルが開き，[**セキュリティの警告**]が表示される。　コンテンツの有効化　を
クリックすると，マクロが利用できるようになる。

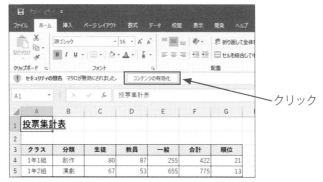

クリック

！注意
ここでは，[**PC**]–[**ド
キュメント**]に保存
していることを前提
にしている。

○ アイコン
Excel ファイルとマ
クロ付きの Excel
ファイルは，アイコ
ンが違うので注意し
て見ること。
（ドキュメントフォ
ルダー内の表示例）
Excel ファイル

マクロ付き
Excel ファイル

---

2. ExcelVBA でのプログラミング

プログラミングにチャレンジしてみよう

これで解決！

Excel には「入力時にメッセージを表示する」など，さまざまな機能が搭載されています。搭載されている機能を使って問題を解決することもできますが，実行した結果が考えていたものと違う場合や，搭載されている機能だけでは実現できないこともあります。VBA を学習すれば，条件によって処理を変えることや，同じ処理を指定した回数だけ実行させることが可能になります。ここでは，VBA を使ったプログラミングについて学びましょう。

Keyword

VBA（Visual Basic for Applications）
Microsoft 社が提供しているプログラミング言語で，Word などほかの Office 製品にも搭載されている。VBA は搭載している Office 製品に対して命令するプログラミング言語であるため，例えば Excel で作成した VBA プログラムは，Excel がインストールされていない環境で実行することはできない。すでに学習したマクロも，実はすべて VBA のコード（命令）で記述されているので，記録したマクロの内容を変更することや実行する処理を追加することが可能である。

VBE（Visual Basic Editor）
Excel に搭載されている VBA プログラム編集用のソフトウェアのことで，VBE を起動してプログラムを記述する。マクロの編集も VBE を使って行う。

例題2　VBE を起動してみよう

ファイル名「会計報告」（ひな形データ）を開き，VBE を起動してプログラムを記述する画面を確認してみよう。　　　　　（ファイル名「会計報告」）

1 VBE の起動

①ファイル名「会計報告」(ひな形データ)を開く。

②[開発]-(Visual Basic)をクリックすると，VBE が起動する。

2 標準モジュールの挿入

○ 標準モジュール

VBA では，コードを記述する専用の場所のことを**モジュール**という。

モジュールにはいくつか種類があるが，本書では汎用的な標準モジュールについてのみ扱う。

①[挿入]-[標準モジュール(M)]をクリックすると，標準モジュールが挿入され，コードウィンドウが表示される。

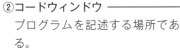

3 VBE の画面構成

①プロジェクトエクスプローラー
開いているブックと，その中に含まれているシートの一覧などが表示される。

②コードウィンドウ
プログラムを記述する場所である。

③プロパティウィンドウ
プロジェクトエクスプローラーで選択している項目の詳細が表示される。

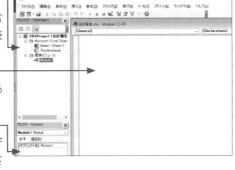

4 VBE の終了

①[ファイル]-[終了して Microsoft Excel へ戻る(C)]をクリックする。VBE が終了し，Excel の画面に戻る。

※VBE を終了しないで Excel の画面に戻る場合，ツールバーにある(**表示 Microsoft Excel**)をクリックする。

VBE に戻るときは，タスクバーに表示されているをクリックする。表示されたウィンドウから VBE の画面を選択する。

6章

例題 3 メッセージを表示させてみよう

ファイル名「会計報告」にメッセージを表示させてみよう。
（ファイル名「会計報告」）

注意
ここでは，先ほど挿入した標準モジュール上に記述している。

○ プロシージャ
プログラムとして機能する最小単位を**プロシージャ**という。本書では Sub プロシージャのみを扱う。

注意
「のセルに団体名を入力してください。」以外はスペースも含め，すべて半角で入力すること。

○ MsgBox 関数
MsgBox は，メッセージ画面を表示する関数である。

○ プログラムの実行
F5 を押してもよい。

○ プログラムの保存
作成したプログラムは，Excel のブックとともに保存される。ファイルの種類を「Excel マクロ有効ブック(.xlsm)」に変更して保存すること。

1 プログラムの入力

① コードウィンドウに「sub sample1()」と半角で入力する。Enter を押すと，自動的に Sub の S が大文字になり，さらに「End Sub」という文字が入力される。

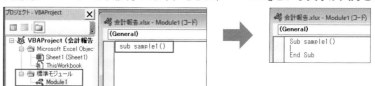

② Tab を押して字下げをしてから，「msgbox "G3 のセルに団体名を入力してください。"」と入力する。

③ Enter を押すと，自動的に「msgbox」が「MsgBox」に変換される。

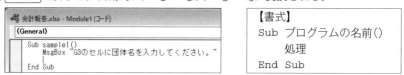

【書式】
```
Sub  プログラムの名前()
    処理
End Sub
```

2 プログラムの実行

① ツールバーの ▶ (Sub/ ユーザーフォームの実行)をクリックすると，プログラムが実行される。

② OK をクリックすると，VBE の画面に戻る。

3 プログラムの保存

① ツールバーの 🖫 (上書き保存)をクリックする。1 度も保存をしていないと，下記のメッセージが表示される。いいえ(N) をクリックし，「Excel マクロ有効ブック」として「会計報告」を保存する。

例題 4 入力されたデータを使って処理してみよう

例題3で作成したプログラムを，団体名を入力するダイアログボックスを表示し，ユーザーが文字を入力できるように変更してみよう。

また，入力された文字はセルG3とシート名（シート見出し）に表示するようにプログラムを変更してみよう。 （ファイル名「会計報告」）

1 変数の利用

プログラムで使用する値を入れておく箱のような入れ物のことを**変数**という。変数を利用すれば値を入れ替えることができるので，複雑な処理が可能になる。

一般的に変数を利用するときは，「これから○○という名前の変数を使用する」とプログラム内で宣言を行うとともに，変数にどのような種類の値を入れるのか指定する**データ型**も宣言する。

【変数宣言で使用するおもなデータ型】

変数型	データ型	値の範囲
Integer	整数型	−32,768〜32,767
Long	長整数型	−2,147,483,648〜2,147,483,647
String	文字列型	文字データ

【変数宣言の書式】

```
Dim 変数名 As 変数型
```

ここでは，入力してもらう文字を入れておく「Gname」という名前の変数を宣言してみよう。

① `Sub sample1()`の行にカーソルを置き，Enter を押して改行し，Tab を押して字下げをしてから「Dim Gname As 」と入力すると，画面には後ろに続く候補の文字が表示される。そのまま「st」と入力すると「String」が表示されるので，マウスで文字をダブルクリックする。

② Gname という文字列を入れる変数が宣言された。

2 InputBox 関数の利用

① 3 行目の「MsgBox "G3 のセルに団体名を入力してください。"」の箇所を下記のように変更する。

ここでは，InputBox 関数を使ってユーザーが入力した値を Gname という変数に入れている。

② ツールバーの ▷（Sub/ユーザーフォームの実行）をクリックし，プログラムを実行する。

文字を入力するダイアログボックスが表示される。ここでは，キャンセルをクリックする。

○ 変数名のルール
変数名には次のようなルールがある。
・文字と＿（アンダースコア）が利用できるが，先頭は文字にしなければならない
・記号やスペースは使用できない
・半角で 255 文字以内にする
・VBA で使用する特別な語（変数の型名など）は利用できない

○ 自動メンバー表示
入力を支援する機能で入力候補の一覧が表示される。↓キーで候補を選択し，Tab で決定することもできる。

○ InputBox 関数
InputBox は，ユーザーが値を入力できるダイアログボックスを表示する関数である。入力された値は利用することができる。

○ 変数に値を入れる
変数名＝入れる値

6 章

セルやシートなど操作の対象となるものを**オブジェクト**といい，オブジェクトがもつ特徴や状態のことを**プロパティ**という。ここでは，セルとシートに関するプロパティをそれぞれ設定してみる。

① 4 行目に「Range("G3").Value = Gname」と入力する。

○ **Range オブジェクト**
セルを表す。

```
Sub sample1()
    Dim Gname As String
    Gname = InputBox("団体名を入力してください。")
    Range("G3").Value = Gname
```

○ **Value プロパティ**
セルの内容(中身)を保持する。

ここでは，変数 Gname の値をセル G3 に入れている。

> プロパティに値を設定
>
> 　(書式)　オブジェクト. プロパティ　=　値

○ **Worksheets オブジェクト**
ワークシートを表す。

② 5 行目に「Worksheets("Sheet1").Name = Gname」と入力する。

```
Sub sample1()
    Dim Gname As String
    Gname = InputBox("団体名を入力してください。")
    Range("G3").Value = Gname
    Worksheets("Sheet1").Name = Gname
End Sub
```

○ **Name プロパティ**
シートの見出し名は，Worksheets オブジェクトの Name プロパティを利用して指定する。

ここでは，Name プロパティの値を変数 Gname の値に設定し，シート名を変更している。

③ ツールバーの ▶ (**Sub/ ユーザーフォームの実行**)をクリックし，プログラムを実行する。
文字を入力するダイアログボックスが表示されるので，「茶道部」と入力し，　OK　　をクリックする。

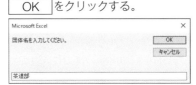

④ Excel の画面を見ると，セル G3 とシート名が「茶道部」に変更されていることが確認できる。

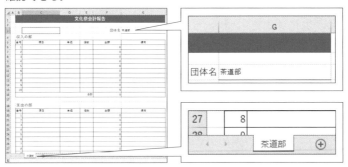

類題 3	**フォントサイズやシート見出しの色を変更する命令を追加してみよう**

ファイル名：会計報告

```
Sub sample1()
    Dim Gname As String
    Gname = InputBox("団体名を入力してください。")
    Range("G3").Value = Gname
    Range("G3").Font.Size = 14
    Worksheets("Sheet1").Tab.Color = RGB(255, 0, 0)
    Worksheets("Sheet1").Name = Gname
End Sub
```

この 2 行を追加する。
なお，シート名は Sheet1 に戻してから実行すること。

例題 5 四則演算のプログラムを作成してみよう

　ユーザーに2つの整数を入力してもらい，その2つの値の和（足し算），差（引き算），積（かけ算），商（割り算）の結果を表示するプログラムを作成してみよう。作成後，ファイル名「四則演算」で保存しよう。

（ファイル名「四則演算」）

1 演算子の利用

① Excel2019 を起動し，空白のブックを選択する。

② VBE を起動し，[挿入]-[標準モジュール(M)]をクリックして標準モジュールを挿入する。

③下記のように入力を行う。

```
Sub sample2()
    Dim a As Long, b As Long, wa As Long, sa As Long, seki As Long, syo As Long
    a = InputBox("1つ目の整数を入力してください")
    b = InputBox("2つ目の整数を入力してください")
    wa = a + b
    sa = a - b
    seki = a * b
    syo = a / b
    MsgBox "和は  " & wa & " 差は  " & sa & " 積は  " & seki & " 商は  " & syo
End Sub
```

！注意

ここでは，Long 型で変数を宣言している。そのため，小数点以下の結果は表示されない。小数点以下も表示したいときは，Single（単精度浮動小数点型）か Double（倍精度浮動小数点型）で宣言する。

○ 順次構造

このプログラムのように，プログラムの最初から順番に処理していく構造を**順次構造**という。

【解説】

2 行目 `Dim a As Long, b As Long, wa As Long, sa As Long, seki As Long, syo As Long`

Long 型で変数の宣言を行っている。複数の変数をまとめて宣言するときは「,」で区切る。

変数名	内容
a	1つ目の整数を入れておく変数
b	2つ目の整数を入れておく変数
wa	aとbを足した結果を入れておく変数
sa	aとbを引いた結果を入れておく変数
seki	aとbをかけた結果を入れておく変数
syo	aとbを割った結果を入れておく変数

5 行目〜8 行目

算術演算子を使って計算を行い，その結果を変数に入れている。

演算子	内容	使用例		
＋	足し算	10 ＋ 2	（結果）	12
−	引き算	10 − 2	（結果）	8
＊	掛け算	10 ＊ 2	（結果）	20
／	割り算	10 ／ 2	（結果）	5
＾	べき乗	10 ＾ 2	（結果）	100
￥	割り算の結果の整数部を返す	10 ￥ 3	（結果）	3
Mod	割り算の結果の余りを返す	10 Mod 3	（結果）	1

9 行目 `MsgBox "和は  " & wa &" 差は  " & sa &" 積は  " & seki &" 商は  " & syo`

MsgBox 関数を使って，文字と計算結果を表示する。

表示する文字はダブルコーテーションで囲む。　　　　　　　　　　　`"和は  "`

&は**連結演算子**で，これを使うと文字をつなげることができる。　　　`&`

変数は保存されている値を表示するので，ダブルコーテーションで囲まない。　`wa`

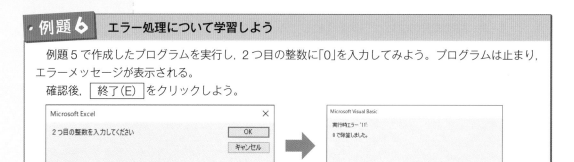

例題6　エラー処理について学習しよう

例題5で作成したプログラムを実行し，2つ目の整数に「0」を入力してみよう。プログラムは止まり，エラーメッセージが表示される。

確認後，　終了(E)　をクリックしよう。

1　エラーの種類と対応方法

プログラムの誤りや欠陥のことを**バグ**（bug＝虫）という。**デバッグ**（debug）とは，プログラムに潜む誤りや欠陥を見つけ，バグを取り除いてプログラムを修正する作業のことである。エラーが表示されたときには，このデバッグ作業を行う。

(1)コンパイルエラー

VBE は，命令を入力して　Enter　を押すと，その行に誤りがないかどうかをチェックしている。単語のスペルミスなど，誤りがあるときはメッセージが表示され，誤り

がある行が赤い文字になる。編集中にエラーが表示された場合は，メッセージの内容を確認し，　OK　をクリック後，その箇所を修正する。

(2)実行時エラー

例題6のようにプログラムを正しく実行できなかったときに発生するエラーを実行時エラーという。

　デバッグ(D)　をクリックすると，エラー箇所が黄色で表示される。

マウスポインターを各変数の上に置くと，変数の値を自動的に表示する。この例では，変数 b の値が 0 であるためエラーとなったことがわかる。

ツールバーのリセットボタンをクリックし，プログラムを止めて修正作業を行う。

(3)論理エラー

文法上の間違いはなく，またプログラムを実行してもエラーが表示されないが，実行結果が思うようになっていないエラーを論理エラーという。この場合は，プログラムの部分的な実行などを行ってエラーの原因を探す。

例題7 条件によって処理を変えてみよう

例題5で作成したプログラムを，2つ目の整数に「0」が入力されたときには，ユーザーに値を入力し直す指示をするプログラムに変更してみよう。変更後，ファイル名「条件分岐」で保存しよう。

（ファイル名「条件分岐」）

Microsoft Excel ✕

0以外の整数を入力してください　　　[OK]　[キャンセル]

1 条件分岐

設定した条件によって処理を変える処理を**条件分岐**という。ここでは，2つ目の整数に「0」が入力されたときには，もう一度ユーザーに値を入力させるようにしてみる。

①例題5のプログラムの4行目と5行目に間に「IF ～ End If」までの命令を追加する。

```
Sub sample2()
    Dim a As Long, b As Long, wa As Long, sa As Long, seki As Long, syo As Long
    a = InputBox("1つ目の整数を入力してください")
    b = InputBox("2つ目の整数を入力してください")
    If b = 0 Then
        b = InputBox("0以外の整数を入力してください")
    End If
    wa = a + b
    sa = a - b
    seki = a * b
    syo = a / b
    MsgBox "和は　" & wa & "　差は　" & sa & "　積は　" & seki & "　商は　" & syo
End Sub
```

（解説）

<u>If b = 0 Then</u>

もし　変数 b が 0 だったら，

<u>b = InputBox("0以外の整数を入力してください")</u>

「0以外の整数を入力してください」とダイアログボックスを表示し，入力された値は変数 b に入れる。

<u>End If</u>

条件分岐終了

②プログラムを実行する。2つ目の整数を入力するダイアログボックスが表示されたら，「0」を入力する。

　OK　をクリックすると，「0以外の整数を入力してください」というダイアログボックスが表示される。0以外の整数を入力し，　OK　をクリックする。

【比較演算子】

左辺と右辺の値を比較して判定する演算子である。条件によって処理を変えるときなどに使用する。

演算子	内容	例（条件）
=	左辺と右辺が等しい	A = B　（A と B の値が等しい）
>	左辺が右辺より大きい	A > B　（A の値が B の値より大きい）
>=	左辺が右辺以上	A >= B （A の値が B の値以上）
<	左辺が右辺より小さい（未満）	A < B　（A の値が B の値より小さい）
<=	左辺が右辺以下	A <= B （A の値が B の値以下）
<>	左辺と右辺が等しくない	A <> B （A と B の値が等しくない）
Like	文字列の比較	A Like "V"（A は V という文字をもつ）
Is	オブジェクトの比較	A Is B （A と B が同じものを参照している）

【条件分岐】

条件分岐処理の記述は複数ある。分岐する内容が何通りあるかに応じて記述を変える。

○ ステートメント
プログラム上の1つ
1つの命令を**ステートメント**という。

(1) If ~ Then ステートメント

条件が一致したときだけ処理を実行する。

```
(書式)  If  条件式  Then
            条件式が成立するときの処理
        End If
```

(2) If ~ Then ~ Else ステートメント

条件に応じて実行する処理を分岐する。

```
(書式)  If  条件式  Then
            条件式が成立するときの処理
        Else
            条件式が成立しないときの処理
        End If
```

(3) If ~ Then ~ ElseIf ~ステートメント

条件が複数ある場合は ElseIf ステートメントを使って，各条件に応じて別の処理を実行する。

```
(書式)  If  条件式1  Then
            条件式1が成立するときの処理
        ElseIf  条件式2  Then
            条件式2が成立するときの処理
        ElseIf  条件式3  Then
            条件式3が成立するときの処理
            (以下，条件4などがあれば同様に記述)
            ・・・・・・
        Else
            いずれの条件式も成立しなかったときの処理
        End If
```

・例題8 繰り返し処理をしてみよう

例題7で作成したプログラムの場合，2度目に表示されたダイアログボックスにも「0」を入力すると，エラー表示となる。ユーザーが正しい値を入力し直すまでダイアログボックスを表示し続けるプログラムに変更してみよう。

変更後，ファイル名「繰り返し処理」で保存しよう。

（ファイル名「繰り返し処理」）

■1 繰り返し処理

① 例題7のプログラムで作成した IF ~ End If までの命令を「Do While b = 0」と Loop で囲むように入力する。

！注意
ここでは，見やすい
ように IF ~ End If ま
での各行を字下げし
ている。

```
Sub sample2()
    Dim a As Long, b As Long, wa As Long, sa As Long, seki As Long, syo As Long
    a = InputBox("1つ目の整数を入力してください")
    b = InputBox("2つ目の整数を入力してください")
    Do While b = 0
        If b = 0 Then
            b = InputBox("0以外の整数を入力してください")
        End If
    Loop
    wa = a + b
    sa = a - b
    seki = a * b
    syo = a / b
    MsgBox "和は  " & wa & "  差は  " & sa & "  積は  " & seki & "  商は  " & syo
End Sub
```

```
Do While b = 0        変数 b が 0 の間は
                        ここに記述した処理を(この場合は, IF ～ End If
    処理                    までの処理)
Loop                   繰り返す(Do に戻る)
```

②プログラムを実行する。2つ目の整数を入力するダイアログボックスが表示されたら, 「0」を入力する。

OK をクリックすると,「0以外の整数を入力してください」というダイアログボックスが表示される。さらに「0」を入力し, ダイアログボックスが再度表示されるのを確認する。0以外の数値を入力するまでダイアログボックスが表示され続けるのを確認したら, 適当な数値を入れ, OK をクリックする。

【繰り返し処理】

同じ処理を繰り返したいときに記述する。

(1) Do While ～ Loop ステートメント

条件が成立している間, 同じ処理を繰り返す。最初から条件が成立しないときは実行されない。

（書式） Do While 条件式
                繰り返す処理
         Loop

(2) Do Until ～ Loop ステートメント

条件が成立するまで同じ処理を繰り返す。最初から条件が成立しているときは実行されない。

（書式） Do Until 条件式
                繰り返す処理
         Loop

(3) For ～ Next ステートメント

指定した回数だけ同じ処理を繰り返す。

（書式） For 変数名＝初期値 To 終了値 Step 加算値
                繰り返す処理
         Next 変数名 （変数名は省略可能）

（記述例）
`Sub Sample()`
　`Dim i As Integer`
　　`For i=2 To 10 Step 2`
　　　`MsgBox i`
　　`Next`
`End Sub`
	①Sample プロシージャの開始
	②データ型が整数の変数 i を宣言
	③変数 i に初期値2を代入し, 10になるまで2ずつ加算
	④メッセージボックスに変数 i の内容を表示
	⑤ For ステートメント(③)に戻る
	⑥プロシージャの終了

注意

無限ループになったときは, Esc か Ctrl + Break で抜ける。

類題 4 **ファイル名「会計報告」のプログラムを変更してみよう**

ファイル名：会計報告入力用

例題4で作成したファイル名「会計報告」のプログラムは, データが入力されていなくても実行できる。このプログラムをユーザーが団体名を入力するまで, 繰り返しダイアログボックスを表示するように変更してみよう。

変更後, ファイル名「会計報告入力用」という名前で保存しよう。

6章

1 携帯電話・スマートフォンのマナー

携帯電話やスマートフォンは，もはや私たちの生活になくてはならない存在になっている。トラブルに巻き込まれないように，また，周囲の人に迷惑をかけないように，適切な行動を取ることが必要である。

スマートフォンの利用状況 (性別・年齢別)

	10歳	11歳	12歳	13歳	14歳	15歳	16歳	17歳
男子	34.6	35.8	55.7	56.3	60.2	75.3	92.4	93.1
女子	37.1	46.2	51.1	71.3	68.9	81.8	93.3	97.3

(平成30年度 内閣府「青少年のインターネット利用環境実態調査」より)

1 他人の権利を守る

名誉や信用を傷付ける書き込みをしない

他人の名誉や信用を傷付けるような書き込みを，インターネット上に載せるような行為は絶対にしてはならない。軽い気持ちの書き込みが法に触れて逮捕や損害賠償につながることもある。

例：「名誉毀損」刑法第230条
　　「不法行為による損害賠償」民法第709条

無断で写真を撮影し公開しない

他人の写真を無断で撮影してインターネット上に公開するようなことはしてはならない。このような行為は，肖像権を侵害することになり，その情報は第三者によりコピーされて広がり続ける可能性がある。

無断で他人の著作物を公開しない

市販のマンガや音楽，テレビ番組の動画などの著作物を無断でインターネット上に公開してはならない。他人の著作物を無断でコピーしたり公開したりする行為は犯罪である。また，違法コンテンツと知りながらダウンロードして利用するのも著作権法違反である。

2 使い過ぎに注意する

携帯電話やスマートフォンへの依存に注意

ソーシャルゲームやコミュニケーションアプリなどは，なかなかやめにくいものである。「○時になったらやめる」などのルールを友だちや家族と決めておくとよい。

高額請求に注意

ゲーム自体は無料でも，アイテムやキャラクターの着せ替えなどは有料のものがほとんどである。購入のし過ぎには気を付けることが大切である。

3 ルールやマナーを守る

「歩きスマホ」はやめる

携帯電話やスマートフォンの画面を見つめながらの歩行は大変危険である。階段や駅のホームから転落するなど，自分自身だけでなく周囲の人々も巻き込む事故につながることもある。

周囲への気配りをする

ホテルのロビーなどの静かな場所では，声の大きさは抑え目にする。また，街の中では，通行の邪魔にならない場所で使用したり，電車内ではマナーモードに切り替え，通話は控えるようにしたりする。

電源を切る

　劇場や映画館，美術館などでは，発信を控えるのはもちろん，着信音で周囲に迷惑をかけないように電源を切っておくことが大切である。また，病院内や飛行機など，使用を禁止されている所では電源を切っておかなければならない。

のぞき見は厳禁

　特にスマートフォンでは，その画面が大きいために，電車やバスなどの車内で他人の画面が視界に入ってしまうことがある。どんな状況下でも，他人のスマートフォンの画面の内容は，意識的に見ないように心がけなければならない。自分でも，他人に見られたくない内容を利用・閲覧しているときに見られたら嫌な気持ちになるはずである。

運転中の携帯電話の使用は禁止

　自動車などを運転中に携帯電話を手で保持しての使用は，道路交通法で罰則の対象となる。また，自転車の運転中も罰則の対象となり，違反者には自転車運転者講習の受講や，場合によっては罰金が課せられる。

人と一緒のときの「スマホいじり」は厳禁

　家族や友人と一緒にいるときに，ずっとスマホばかり触ったり見ていたりしている。また，会話もうわの空で生返事であるなど，相手に大変失礼な行為である。スマートフォンが大切であることは理解できなくもないが，目の前にいる相手と一緒に過ごす時間を大切にすべきではないだろうか。

スマートフォンに関わる事故　コラム

　東京消防庁管内で平成25年から平成29年までの5年間で，歩きながら・自転車に乗りながらなどの携帯電話，スマートフォンなどに関わる事故により199人が救急搬送された。なお，年別救急搬送人員では，平成29年は前年と比べて26人減少した。

　また，事故種別ごとの救急搬送人員では，「ぶつかる」が88人と最も多く，全体の約44％を占めている。次いで「ころぶ」が62人，「落ちる」が44人となっており，この3つの種別で約97％を占めている。

　スマートフォン操作時の視界は約1/20になり，対象物には1.5mまで近づかないと認知できないといわれている。このとき，ゆっくり歩きでも時速3kmの速さがあり，停止している対象物の場合では，約1.8秒以内に回避できなければ衝突する計算になる。

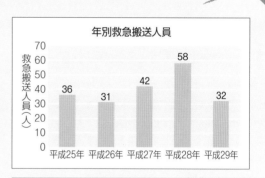

年別救急搬送人員

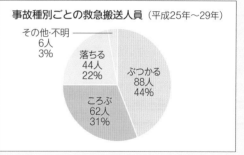

事故種別ごとの救急搬送人員（平成25年〜29年）

問題　**次の携帯電話やスマートフォンに関しての間違った利用について，どのような点がよくないか考え，改善する方法を述べなさい。**

ア． 自分の写真や友だちの趣味などをブログで紹介した。

イ． 街中で見かけた面白い人の写真を撮ったので，自分のブログで紹介した。

ウ． 個人が動画配信サイトへ投稿したテレビ番組を，便利だと思いダウンロードした。

エ． 自転車に乗っていたが，親友からの電話だったので乗りながら話した。

オ． オンラインゲームに熱中して，寝るのが遅くなってしまった。

電子メールのマナー

電子メールは，非常に便利で手軽なコミュニケーション手段であるが，反面さまざまなトラブルが起きがちである。

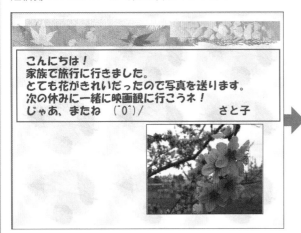

送信側：HTML メールで見た目をキレイに！

受信側：文字化けして解読不能

```
MIME-Version: 1.0
Content-Type: multipart/related;
        type="multipart/alternative";
        boundary="----=_NextPart_000_000E_01C7CC45.7788EB20"
X-Priority: 3
X-MSMail-Priority: Normal
X-Unsent: 1
X-MimeOLE: Produced By Microsoft MimeOLE V6.00.2900.3138

This is a multi-part message in MIME format.

------=_NextPart_000_000E_01C7CC45.7788EB20
Content-Type: multipart/alternative;
        boundary="----=_NextPart_001_000F_01C7CC45.7788EB20"


------=_NextPart_001_000F_01C7CC45.7788EB20
Content-Type: text/plain;
        charset="iso-2022-jp"
Content-Transfer-Encoding: 7bit

-$B<+A3-(B

-$B$3$s$K$A$O!*-(B
-$B2H$2$GN9$T$K9T$-$^$7$?!#-(B
-$B$H$F$b2Y$,$-$1$$$$$C$?$N$G<L??$rAw$j$^$9!#-(B
-$B<!$N5Y$,$K0I=o$K1G2h4O$K9T$3$$$&$Xm!*-(B
-$B$8$0$$$c$^"!^$3^$^$3$?$M!!-(B^(B(^0^)/-$B!!!!!!!!!!!!!!!$5$H;R-(B

------=_NextPart_001_000F_01C7CC45.7788EB20
Content-Type: text/html;
        charset="iso-2022-jp"
```

1 文字によるコミュニケーション

電子メールは文字によるコミュニケーションであり，こちらの状況や感情などのニュアンスがなかなか伝わらない。そのため誤解やすれ違いが生じることがある。電子メールを送信する前に，次のようなことに注意することが必要である。

・入力した内容を，ゆっくりと読み返して，もう一度確かめる習慣を付ける
・読む側の立場に立ち，文章が読みやすいか，内容が誤解されたりしないか，考えながら文章を書く
・受け取ったメールを引用して返信する際は，その引用文は必要最小限にし，どの部分に対する返事なのかわかるようにする

2 電子メールの受信環境

電子メールを送信する場合，その電子メールの受信側の環境に配慮する必要がある。

電子メールの容量

容量の大きなメッセージや添付ファイルは，受信側のメールサーバーで制限を受けて，受信者が受け取れない場合もある。送信しようとしているメッセージや添付ファイルの容量が大きいと思うときは，相手先に確認してから送信するようにする。

OS やソフトの違い

コンピューターで使っている文字の中には，その機種特有の文字（**機種依存文字**）がある。そのような文字を電子メールの中で使うと，そのメールを受け取った人の中には**文字化け**して，まったく違った文字が表示されて読めないことがある。

HTML メール

電子メールの形式には，通常のテキストメールと，Web ページのレイアウトなどに使う HTML で記述した HTML メールがある。HTML メールでは，通常の電子メールでは不可能な文字の色付けやフォントサイズの変更，画像の埋め込みなど，ワープロ文書のような表現が可能である。しかし，次のような理由から使用は控えるべきである。

・HTML メールに対応していない電子メールソフトも使われている。また，対応しているメールソフトでもバージョンやコンピューターなどの環境によっては受信できない場合がある。
・HTML メール中に埋め込まれたスクリプトと呼ばれる小さなプログラムを実行する機能を悪用したコンピュータウイルスが多く存在する。そこで，受信者が HTML メールの受信そのものを拒否したり，受信しても自動的にゴミ箱に移動したりする設定にしている場合がある。

3 電子メールのマナー

ビジネスメールなどの公的なメールでは，次のようなマナーに気を付けなければならない。

ＴＯ，ＣＣ，ＢＣＣの使い方

TO には，要件を伝えたい，返信を求めたい相手のアドレスを記載する。また CC には，参考として確認してもらいたい相手のアドレスを記載する。BCC には，互いに面識のない複数名に一斉送信をする際に，それぞれのアドレスを記載する。

注意が必要なのは，CC と BCC の使い分けである。BCC に記載したアドレスは，ほかの受信者からは見ることができないが，TO や CC に記載したアドレスは，全員から見ることができる。そこで，互いに面識がない相手のアドレスを CC に記載してしまうと，すべての送信先のアドレスが受信者にわかってしまい，個人情報の漏えいとなる。

件名の書き方

件名だけでメールの内容がわかるように，本文の内容を元にわかりやすくまとめる必要がある。

また，件名が長すぎると受信リストに表示される際に末尾が切れてしまうので，次の点に気を付けて 20 文字程度にまとめるとよい。

・具体的な名称や内容を記載する
　例：○○○イベント開催のお知らせ
・メールを送信した意図を伝える
　例：お見積もりご確認のお願い

本文の書き方

相手に伝わりやすい文章を書くことが大変重要である。本文の基本的な構成は次の通りである。

①宛名

はじめに宛名を記載する。宛名をしっかり記載することにより，迷惑メールや間違いメールに混同される恐れがなくなる。構成は，「会社名，部署名，役職名（あれば），名前」の順に記載する。
例：株式会社○○○○商事
　　営業部　部長○○○○様

②書き出し

時候の挨拶などは特に必要はなく，最低限の挨拶文にとどめておく。
例：お世話になっております。

③名乗り

会社名，部署名，名前をきちんと名乗る。
例：○○○○株式会社　総務部　○○○○です。

④本文

相手に何を伝えたいのか，何をして欲しいのかを的確に，また簡潔に書くことが重要である。

なお，抜け漏れや重複防止のチェックとして，「6W3H」を利用するとよい。これに沿って本文を書くことで，相手にも伝わりやすくなる。

・Who（誰が）：主体者，担当者は誰か
・Whom（誰に）：相手は誰か
・When（いつ）：日時や期限などはいつか
・Where（どこで）：場所はどこか
・What（何を）：内容は何を行うか
・Why（なぜ）：理由など，なぜ行うか
・How to（どのように）：手段など，どうするか
・How many（どれだけ）：数量はどれだけか
・How much（いくら）：金額はいくらか

⑤結び

結びの挨拶も簡潔に済ませ，また，気持ちよくメールを読み終えられるような言葉で締めくくる。
例：ご検討の程，よろしくお願いいたします。

⑥署名

署名は，名刺と同じ役割を果たす。しっかりと連絡先や送信先の情報を載せるようにする。
例：＊＊＊＊＊＊＊＊＊＊＊＊＊＊＊＊＊＊＊
　○○○○株式会社　総務部　山田一郎
　〒123-4567 東京都○○区○○　○○ビル
　TEL 03-1234-XXXX
　FAX 03-1234-XXXX
　メール　yamada@ △△△ .co.jp
　URL　http:// △△△ .jp
＊＊＊＊＊＊＊＊＊＊＊＊＊＊＊＊＊＊＊

問題

メールソフトの設定について適切なものには○，適切でないものには×を付けなさい。

ア．便利なので，自動的にメールが開くように設定している。

イ．安全のための設定があるので，調べて設定を変えることも必要である。

ウ．ウイルス対策ソフトを入れておけば万全なので，設定に注意を払う必要はない。

エ．HTML メールのような新しい技術は，すべて使用できるようにしておくと便利である。

オ．添付された画像ファイルを，メールの本文中に表示しないように設定している。

不要な広告宣伝メールや意味不明のメールなど，受け取る人の意思に関わらず，勝手に送り付けられるメールを総称して「迷惑メール」と呼ぶ。

国内のインターネットサービスプロバイダーの取り扱う電子メールのうち，迷惑メールの占める割合は，約4割となっている。

この中のかなりの部分はフィルターなどで対応され，利用者には届いていない。しかし届かないものも含め，迷惑メールが全メールの過半数を占め，ネットワークに対する負荷が非常に大きくなっていることがわかる。

（右図　総務省「迷惑メール対策」統計データより）

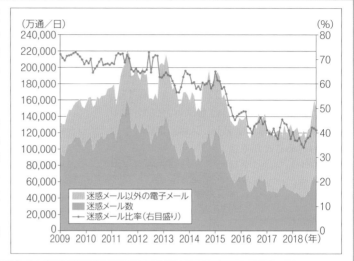

1　迷惑メールの種類

迷惑メールの種類を大きく分類すると次の表のようなものになる。

種類	内　容
広告宣伝メール	商品販売やサービス，出会い系・アダルト系サイトの宣伝や勧誘を行うメール
架空請求メール	利用した覚えのない請求が送られてきて，お金や情報をだまし取ろうとする詐欺目的のメール
不当請求メール	「無料と思って」もしくは「有料と知っていて」利用し，法外なサイト利用料を請求されるメール
ウイルスメール	ウイルス感染を目的とするメール
金儲けのメール	簡単な副業で高額収入が得られるといった内容や，相談者から悩みを聞くだけの仕事などの詐欺目的のメール
チェーンメール	誰かに転送させようとするメール

このほかスマートフォンでは，**不正アプリ**をインストールさせ，端末に保存されている利用者情報を盗み取ろうとするメールもある。

2　広告宣伝メール

迷惑メールの中で最も流通しているのが，広告宣伝メールである。出会い系・アダルト系サイトのメールの多くには，URLやリンクが記載されており，そのURLへアクセスしてしまうと，後日大量の迷惑メールが届いたり，身に覚

えのない料金を請求されたりする。これは，アドレスなどを識別する識別情報を含むURLやリンクをクリックしてしまったためである。このURLがクリックされると，クリックしたユーザーのアドレスが特定されて，サイトを閲覧したことがわかるようになっているのである。

広告宣伝メールへの対応
・広告宣伝メールは開かない
・開いたとしてもアクセスや連絡をしない
・メールフィルターの設定を必ずしておく

3　架空請求メール

知らないサイトからいきなり「情報料の請求」といった内容のメールが送られてくる。このようなメールは**架空請求メール**と呼ばれ，脅迫的な内容でお金を脅し取ろうとする詐欺手法の一つである。法律用語や脅迫的な内容で受信者を不安な気持ちにさせ，連絡してくるのを待っている。「払わなければ自宅を調べて取り立てに行く」と書かれているものもある。

利用していないサイトへの支払い義務はないので，もちろん料金を支払う必要などない。トラブルに巻き込まれないように，このようなメールは無視することが大切である。一度でもお金を支払ったり，問い合わせや連絡などをしたりすると，だましやすい「カモ」だと思われ，さらなる請求が続く恐れがある。

また，「あなたの個体識別番号は○○です」「あなたのメールアドレスは××です」などと，あたかも個人情報を入手したかのようなことが書かれている場合があるが，これらから電話番号などの個人情報がサイトの営業者に伝わることはない。

架空請求メールへの対応

・架空請求メールは無視する
・記載されている連絡先に問い合わせをしない
・心配な場合は最寄りの消費生活センターなどへ相談する

4　チェーンメール

チェーンメールでは，善悪さまざまな内容によりメールを転送させようとするが，転送しなくても何も起こらない。逆に，友人に転送することにより，相手にいやな思いをさせてしまうことにもなりかねない。どうしても不安な場合には，迷惑メールの相談センターなどにチェーンメールの捨て場所となる転送先アドレスが提供されているので，その転送先アドレスを使うとよい。

チェーンメールへの対応

・チェーンメールは転送しない
・どうしても不安なときは迷惑メール相談センターなどの転送先を利用する
・内容が犯罪予告のような場合には，念のため警察などにも相談するとよい

5　スマートフォンでの対策

スマートフォンはパソコンと同様の基本ソフト（OS）が搭載され，さまざまなアプリをインストールできる。そのため，セキュリティ対策を怠るとウイルスに感染する恐れがある。

OSを最新のものに更新（アップデート）したり，ウイルス対策ソフトを利用したりする。また，アプリの入手やインストールの際には，機能や利用条件に注意し，携帯電話会社の公式マーケットなどの安全性審査を実施しているサイトを利用する。

携帯電話の個体識別番号

架空請求業者がいう「個体識別番号」（「固体識別番号」と表記しているものもある）には，①携帯電話会社名と端末の機種，②業者が勝手に付けたIDがある。これには，アクセスしたユーザーの名前や住所，携帯電話番号などの個人情報は含まれていないため，業者に個人情報が伝わることはない。また，IDも業者が勝手に付与したものであり，個人情報とは何ら関係がないのである。

問題

次のような迷惑メールへの対応のうち，適切なものには○，適切でないものには×を付けなさい。

ア. 無料ゲームサイトのお知らせメールがきたが，興味がないのでメール内の「配信停止」のアドレスをクリックした。

イ. 有名アイドルのマネージャーという人から「悩みごとの相談をして欲しい」というメールがきたので，メール内のアドレスをクリックしてサイトから返事を送った。

ウ. 知らない相手からメールがきたので，開けずに削除した。

エ. 架空請求と思われるメールを無視していたが，心配だったので消費生活センターに相談した。

オ. 面倒なので，到着したメールが自動で開くように設定している。

4 インターネットへの依存

スマートフォンの急速な普及により，場所や時間を選ばないソーシャルメディアなどのネット依存が問題になっている。

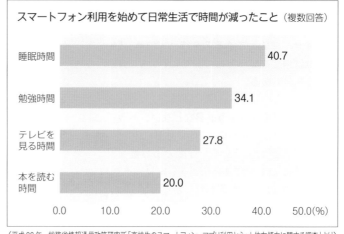

スマートフォン利用を始めて日常生活で時間が減ったこと（複数回答）

睡眠時間	40.7
勉強時間	34.1
テレビを見る時間	27.8
本を読む時間	20.0

（平成26年　総務省情報通信政策研究所「高校生のスマートフォン・アプリ利用とネット依存傾向に関する調査」より）

1 スマートフォンでのインターネット利用時間

　高校生約15,000人を対象とした平成26年の総務省の調査によると，スマートフォンでの平日1日のインターネット平均利用時間は161.9分間となっている。また，これらの時間でどのようなサービスを利用しているのかとの問いに対する答えで多かったのが「ソーシャルメディアを見る」というものであった。このスマートフォンによって費やす時間を，睡眠時間や勉強時間を削って作り出しているのが現状である。そのため，引き込もり気味になったり，健康状態が悪化したり，インターネットに費やすお金が増えたりしている。さらにネット依存が高い生徒ほど，インターネットのしすぎが原因で学校に遅刻したり欠席しがちになったりしている。

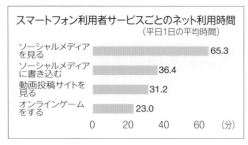

スマートフォン利用者サービスごとのネット利用時間
（平日1日の平均時間）

ソーシャルメディアを見る	65.3
ソーシャルメディアに書き込む	36.4
動画投稿サイトを見る	31.2
オンラインゲームをする	23.0

ソーシャルメディア

豆知識

　ソーシャルメディアとは，インターネット上の情報メディアで，個人による情報発信や個人間のコミュニケーション，人と人との結び付きを利用した情報流通などの社会的な要素を含んだメディアのことである。

　電子掲示板（BBS）やブログ，SNS，ミニブログ，動画共有サイトなどの種類がある。具体的なものでは，Twitter，LINE，Instagram，Facebookなどがある。

2 家庭でのスマートフォン利用のルール

　先の総務省の調査では，スマートフォン利用に関する家庭内のルールがあるかとの問い（複数回答可）に対して，「特に約束していることはない」と回答した高校生の割合が約36％に上っている。また，約束しているルールの中では，利用料金面やマナー，危険防止の観点からのルールが中心で，使いすぎ防止や日常生活に悪影響が出た場合の制限についてのルールはあまり設けられていないのが現状である。

　高校生自身が，自分の日常生活に悪影響が出ない使い方や利用時間について考え，上手に使うようにする自己管理の取り組みが必要であろう。

利用料金面やマナー，危険防止の観点からのルール	
有料のアプリやサービスは使わない	33.0%
食事中は使わない	32.9%
怪しいサイトにはいかない	27.5%
使いすぎ防止や生活に悪影響が出たときの制限のルール	
成績が下がったら利用を制限する	8.8%
利用時間帯を制限している	6.7%
利用時間の上限を決めている	3.1%

3　ソーシャルメディアでのトラブル経験

　トラブルや被害経験のある生徒は，全体の4割程度になるが，依存度の高い生徒では6割以上がトラブルや被害経験をしている。

　一番該当率の高いものは，「知らない人から『会いたい』などのメッセージがきた」，次いで「知らないところで自分の悪口を書かれた」，「やり取りをしている相手とケンカになった」と続いている。これらの割合は，全体よりも依存度の高い生徒のほうが2倍から3倍に大きくなっている。

トラブルの内容	全体	依存度高
知らない人から『会いたい』などのメッセージがきた	15.4%	29.0%
知らないところで自分の悪口を書かれた	9.3%	20.6%
やり取りをしている相手とケンカになった	9.0%	24.0%

4　ネット依存度チェックリスト

　アメリカの心理学者キンバリー・ヤング博士が強迫性ギャンブル依存症の診断基準を参考に次の8つの項目からなる診断基準を作った。これらの項目であてはまるものがあればチェックし，8項目中5項目以上にあてはまれば「ネット依存」の状態であることになる。

1	あなたはインターネットに夢中だと感じていますか？（前にアクセスしたときを考えるか，次にアクセスするときのことを予測して）
2	満足感を得るために，もっと長い時間インターネットを利用したいと感じますか？
3	インターネットの利用を制限したり，やめようとしたり努力して失敗したことが何度もありますか？
4	インターネットの利用をやめようとしたとき，落ち着かなくなったり，不機嫌になると感じますか？
5	元の予定より長い時間，インターネットにアクセスしますか？
6	インターネットが原因で，仕事や学校での重要な人間関係が危うくなったことがありますか？
7	家族や先生に，インターネットの利用範囲を隠すために嘘をついたことがありますか？
8	問題から逃避したり，不快な気分をやわらげたりするためにインターネットを利用しますか？

5　ネット依存の問題点

　ネット依存が問題になるのは，次のような点である。

・没入状態が長期におよび，自己統制がきかない
・やめればある種の禁断症状が生じる
・家族関係やその他の人間関係，社会生活に悪影響が出る
・生活や性格までもが破綻することがある
・視力低下や運動不足になったり，健康を害して死亡したりする例もある

6　ネット依存の克服策

　重度の依存症になると専門医を受診しなければいけないが，次のようなことから家族や自身の力でネット依存から回復することもできる。

・失ったものはないか考える（恋人・友だちなど）
・映画を観るなど，違う興味を増やす
・インターネットから意図的に離れる時間を作る

問題　**ネット依存に対する予防の観点から，適切でないものを選びなさい。**
　ア. インターネットの利用時間を自分自身で決めた。
　イ. 寝る前に必ずメッセージをチェックし，返事を書き込むようにしている。
　ウ. 試験勉強のときに，グループでメッセージのやり取りをし，範囲や進捗状況を報告している。
　エ. ストレス解消のためにインターネットを利用している。
　オ. 休日に外へ出かけることをはじめて，インターネットだけに偏らない生活をするようにした。

5 炎上

炎上とは，サイトでの何らかの発言や写真などをきっかけに爆発的に注目を集め，非難や批判，誹謗中傷などのコメントが殺到することである。

炎上の対象となったソーシャルメディアはTwitter（ツイッター）が半数以上を占めている。

Twitterは鍵をかけない限り，投稿したツイートはインターネット上に広く公開されてしまう。親しい友人だけにいうつもりでTwitter上に問題ある投稿をしてしまうと，実はインターネット上に広く公開されているため，炎上してしまう危険性がある。

なお，鍵をかけて公開範囲を制限しても，問題発言はしないことが大切である。友人の誰かがほかに転載するかもしれないからである。

1 炎上の発生から激化まで

ブログやSNS内の日記には，設定をしない限り，誰でもコメント欄にメッセージを残すことができる。そこで，ブログなどでの執筆者の言動に対して，多数の閲覧者がコメントを集中的に寄せる状態になることがあり，これを**炎上**と表現する。ただし，コメントに否定的な意見を多く含むものを炎上とし，肯定的なコメントだけが殺到するものは炎上とは呼ばない。

炎上の発生から激化までの過程には，次のように，巨大な匿名掲示板やニュースサイトなどが関係していることが多い。

①巨大な匿名掲示板が関わる場合

ブログやSNSなどに書き込みが集まる
↓
インターネット上の大型掲示板に記事が投稿される
↓
さらに多くの人の書き込みがそのブログやSNSなどに集中する

②ニュースサイトが関わる場合

ブログやSNSなどで小規模な炎上が発生する
↓
インターネット上の出来事を紹介する中規模のニュースサイトに掲載されて炎上が加速する
↓
さらに大手メディアで紹介されることにより炎上の被害が拡大する

2 激化が進むと

炎上が激化すると，ブログ，SNSのコメント欄や掲示板への書き込みに留まらず，多様な方法での抗議が見られるようになる。メール，電話，関係者への抗議，場合によってはデモ活動といった事態に至ることもある。

一般の個人を対象とした炎上であっても，それまでのブログやSNSの日記における日常生活のさまざまな記述を総合し，住所や勤務先などの個人情報が暴かれてしまうことがある。

企業の場合，取引先にまで抗議がおよび，営業に支障をきたす場合や，触法行為を自慢する書き込みにより炎上を誘発してしまった従業員が，それを理由に会社から解雇されるような例もある。

3 炎上の原因

　さまざまな事例を見ると，大半の炎上は次のようなことが原因で起きている。
- 他人の誹謗中傷を書き込んだ
- 他人が不愉快に思う差別発言や否定的な発言を書き込んだ
- 飲食店の従業員がふざけて食品を不衛生に扱う動画などの悪乗りを投稿した
- アルバイト先などでの機密情報や有名人のプライバシーを書き込んだ
- 器物損壊や未成年者の飲酒といった触法行為や迷惑行為の動画や書き込みを投稿した

　また，著名人や企業では次のようなことも炎上の原因になっている。
- 著名人が専門外の話題に言及して知識不足を露呈してしまった
- 企業のサービスや商品の品質に問題があったり，その疑いの釈明に問題があったりした

「炎上」とその後

　専門学校の学生がスーパーのアイスクリームの冷凍ケースに入り込んだ様子をTwitterに投稿した。炎上後，店が警察署に被害届を提出，身元も特定され器物損壊容疑で書類送検された。また学校からは退学処分を受けた。
　「ちょっとした悪ふざけ」と考えたかもしれないが，このような行為に対しては刑事責任と民事責任を負うこととなり，一生をかけて償わなければならないのである。

4 炎上の予防と対策

　炎上につながるような発言などをしないように注意することで，ある程度は炎上を予防することができる。また，ブログなどはコメント欄を設定しないようにしたり，企業のWebサイトであれば問い合わせフォームや掲示板といった炎上が発生し得るような場を設定しないようにしたりすることが炎上を発生させない最も確実な方法である。
　もし炎上が発生してしまった場合は，まず最初に自分に非があったと認めるかどうかを判断すべきだといわれている。

非を認める場合

　可能な限り早く誠意のある簡潔な謝罪コメントを発表するのがよいとされる。その際，コメントに言い訳などの謝罪以外の内容が含まれていると，逆に反発を招くことがあるので注意が必要である。

非を認めない場合

　特に企業に対する炎上の場合，意図的に誹謗中傷が書き込まれる場合もある。事実確認を行い，正確に状況を把握した上で批判に対して見解を発信する。

「炎上」とその対応

　「チョコレートに虫が入っていた」と画像とともにTwitterへの投稿があり，投稿から1時間ほどで炎上した。製造会社は速やかに昆虫の専門家に分析を依頼，製造過程で混入したものではないとの結論を得て，投稿から3時間後に見解を発表した。素早い対応に納得したという書き込みが増え，事態は落ち着き，売り上げ減少などの被害を避けることができた。

　どの場合でも，炎上への対応は判断が難しい。もし炎上させてしまったら，あわてて削除はせず，すぐにまわりの大人に相談をすることが一番である。
　サイトやブログを閉鎖してしまうとかえって事態を大きくしてしまう危険性がある。また，特にブログなどで炎上の火種となった記事だけを削除すると隠蔽行為と思われ，批判の激化を招いてしまうことがある。

問題

ブログやSNSなどを炎上させないための対応として，適切でないものを選びなさい。

- **ア.** 掲示板に乱暴な書き込みがあったので，ちょっときつく注意する発言をした。
- **イ.** 事実であれば，どんな場合でもそのことを書き込んだほうがよい。
- **ウ.** 相手が見えないのだから，書き込みの前に必ず読み直している。
- **エ.** たとえ事実でも，人を傷付けたり怒らせたりすることがあるので注意している。
- **オ.** みんなを喜ばせることなら悪ふざけでも掲載して構わない。

出会い系サイトやコミュニティサイトには，あなたをねらっている罠がたくさんある。

コミュニティサイトでの事件被害児童数は，増加傾向が継続し，平成 29 年度は過去最多の 1,813 人となった。

また，「複数交流系」での被害児童数が大幅に増加し，「チャット系」にかわり最多となった。

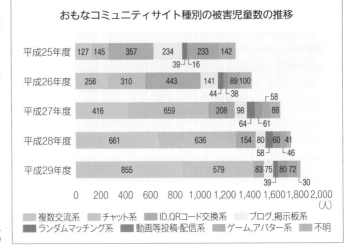

おもなコミュニティサイト種別の被害児童数の推移

	複数交流系	チャット系	ID,QRコード交換系	ブログ,掲示板系	ランダムマッチング系	動画等投稿・配信系	ゲーム,アバター系	不明
平成25年度	127	145	357	234	233	142	39	16
平成26年度	256	310	443	141	89	100	44	38
平成27年度	416	659	208	98	64	61	58	88
平成28年度	661	636	154	80	58	60	41	46
平成29年度	855	579	83	75	39	80	72	30

（右図　警察庁広報資料「平成 29 年における SNS 等に起因する被害児童の現状と対策について」より）

1　被害児童数の推移

平成 29 年度において，出会い系サイトが原因となった被害児童は 29 人で，過去最少である。これは，平成 20 年の出会い系サイト規制法改正以降，届出制の導入や被害防止措置が義務化されたことなどによるものである。

一方，コミュニティサイトが原因となった被害児童は，増加傾向が継続し，過去最多となった。これは，平成 20 年度の被害児童数 792 人と比較すると，約 2.3 倍増となる数字である。

2　被害児童の状況

被害の中で最も多いものは，出会い系サイトが原因となる場合は，「児童買春」で被害全体の 65.5 % を占め，コミュニティサイトが原因となる場合は，「青少年保護育成条例違反」で被害全体の 38.7 % を占めている。

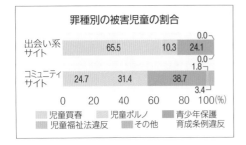

罪種別の被害児童の割合

	児童買春	児童ポルノ	青少年保護育成条例違反	児童福祉法違反	その他
出会い系サイト	65.5	10.3	24.1	0.0	0.0
コミュニティサイト	24.7	31.4	38.7	1.8	3.4

また，年齢層では，コミュニティサイトが原因となる場合の被害児童が，出会い系サイトの場合と比べて低年齢層の割合が多い。

実際にあった被害事例　コラム

＜事例 1 ＞
犯人は，年齢を詐称し，コミュニティサイトを通じて知り合った女子児童に裸の画像を撮影させ，携帯電話に画像を送信させた。

＜事例 2 ＞
犯人らは，コミュニティサイトで知り合った女子児童らを自動車に乗せて誘拐し，車内などでわいせつな行為をした上，その後自宅に監禁して，怪我を負わせた。

3　プロフィールの詐称

コミュニティサイトの利用時に，年齢や職業などのプロフィールを詐称した被害児童は，3 割強もいた。ましてや，それ以上の数の「悪意のある大人」がプロフィールを偽り，言葉巧みに近づいてくるのである。すぐに「会おう」と誘われたり，しつこく「会おう」と誘われたりする。携帯電話のアドレスで直接やり取りすることを要求される。相手から写真を送るよう求められる。これらは，犯罪被害の前兆である。

4 犯罪被害に遭わないために

絶対に会わない

サイトで知り合った相手に会うと，重大犯罪に巻き込まれる可能性がますます大きくなる。

絶対に書き込まない

サイトに出会いを求める書き込みはしない。また，怪しいメールが届いても絶対に開かない。

絶対に掲載しない

個人情報がわかるような書き込みや，写真を一度でも掲載すると，その情報や写真を悪用される恐れがある。

5 出会い系サイト規制法

この法律は，出会い系サイトの事業者への事項だけでなく，利用者への事項もある。

児童の出会い系サイト利用は禁止

18歳未満の者が，出会い系サイトを利用することは認められていない。

性交渉や金品目的の書き込みは処罰の対象

性交渉の相手として交際を求める書き込みや，児童を相手として金品を目的とした異性交際を求める書き込みをした者は，大人だけでなく，児童であっても，処罰の対象となる。

ID 検索機能の制限

無料通話アプリでは，ID 検索機能や QR コードなどで「友だちになる」ことができるが，出会い系サイトによる被害の急増から，18歳未満に対して ID 検索機能を制限している。ところが，所持している端末の名義が保護者になっている場合，未成年でも ID 検索機能が使えてしまう。必ず本人の名義に変える必要がある。

---

6 フィルタリング

有害なサイトに接触しないようにするために，フィルタリングを利用することが必要である。従来の携帯電話では，携帯電話回線のフィルタリングだけでよかったが，スマートフォンでのインターネット利用に対しては，

①携帯電話回線による接続

②無線 LAN による接続

③スマートフォンのアプリによる接続

のそれぞれに対してフィルタリングが必要である。

また，一般的なフィルタリングでは，すべてのコミュニティサイトの利用を制限できないので，カスタマイズサービスの利用が必要になる。

さらに，フィルタリングサービスを利用していても，フィルタリングの対象から除外されるサイトで犯罪に巻き込まれることもあるので注意が必要である。

7 インターネットでの出会いのこれから

出会い系サイトが原因の犯罪被害が減少傾向にある一方，無料通話アプリの ID を交換する掲示板やコミュニティサイトが原因の犯罪被害が増加傾向にあること，また，コミュニティサイトに起因する被害児童のほうが，出会い系サイトに起因する被害児童と比べて低年齢層の割合が多いことから，急速に若年層にも普及するスマートフォン向けのサービスにおいて，十分過ぎるほどの安全性を確保し，児童被害防止対策の強化を目指す必要があるといえる。

問題　次のインターネットでの出会いに関連した記述について，適切なものには○，適切でないものには×を付けなさい。

ア． 出会い系サイトが原因となった被害児童数は，ここ数年増加傾向にある。

イ． コミュニティサイトの利用時に，プロフィールを詐称した被害児童は，3割強もいた。

ウ． スマートフォンのフィルタリングは，携帯電話回線による接続だけに設定すれば大丈夫である。

エ． 18歳未満の者が，出会い系サイトを利用することは認められていない。

オ． 出会い系サイトでの金品目的の書き込みは，大人だけでなく児童でも処罰の対象となる。

リファレンス

Web ページの情報の信ぴょう性

インターネットで情報を受信する際，情報の発信者が必ずしも良心的であるとは限らない。コンピュータウイルスなど，多くの危険の存在を意識して，適切な行動を取ることが求められる。

1　情報の発信者の信ぴょう性

　Web ページによる情報の発信は，比較的手軽にできるため，国，公共団体，企業，個人などが発信するさまざまな Web ページが存在する。Web ページを閲覧する人は，提供されている情報や情報発信元が信頼できるかどうかを，自己の責任で判断することが必要となる。

　情報の発信者が信頼できるかどうかを判断する目安としては，次のようなものがある。

・情報の発信元が，一般によく知られている組織（公共団体や企業など）である
・情報の発信元の連絡先が明記されている
・情報の引用先や確認先が明記されている
・Web ページの更新が適切になされている

代表的なドメイン名　

　Web ページのアドレスにあるドメイン名に注目すると，発信元の組織がわかる。知っておくとよい代表的なドメイン名を以下に示す。

ed.jp	初中等教育機関
co.jp	会社組織
go.jp	日本の政府機関
ac.jp	大学などの高等教育・学術機関
or.jp	法人などの公的機関

2　情報の信ぴょう性

　情報の発信者が信頼できる場合でも，Web ページに載っている情報は必ずしも信頼できるものであるとは限らない。誤った情報や作者の勘違い，古い情報がそのままになっているものなどがある。そこで，次のようなことを心がけることが大切である。

最新の情報かを確認する

　検索エンジンでは，更新日時を指定して検索することができる。こうした機能を利用すると，情報が新しいことを確認して入手できる。また，ページの更新日時を確認して最新の情報を手に入れるようにする。

複数の情報源，メディアで確認する

　情報は1つの情報源，メディアより複数のもので確認するほうがその信頼性が増す。情報を得たら，必ずほかの手法で裏付けを取る習慣を付けることが大切である。
＜ Web ページ以外のメディアの例＞
書籍，新聞，テレビ，ラジオなど

一次情報を探す

　直接見たり調べたりした人が発信する情報を**一次情報**と呼び，一次情報を編集してまとめたものを**二次情報**と呼ぶ。二次情報は一次情報より信ぴょう性が低くなる場合があるので，一次情報かどうかを見極めることが重要である。

3 悪意あるWebページ

インターネット上には，悪意をもった人々の
Webページが多く存在する。

ニセ情報などの悪意のある情報を流すページ

その情報により人や会社に不利益を与えて喜ぶ
人が存在する。

国際電話を勝手にかけさせるページ

不正なプログラムを組み込ませ，国際電話をか
けるような設定に変更する。これにより，悪意を
もった人々にはコンテンツ利用料の収入が入る仕
組みになっている。

**ウイルスをまき散ら
すページ**

ページを閲覧した
り，ファイルをダウン
ロードして実行したり
すると感染する。

ブラウザークラッシャー

Webブラウザー（Web閲覧ソフト）の動作を乱
して何の操作もできなくする。大きな音が鳴り続
けたり，ウィンドウが次々と表示されたりして，
それ以降の操作が何もできなくなる。

**無断でスパイウェアをインストールさせる
ページ**

ユーザーが気付かないうちにスパイウェアをコ
ンピューターにインストールさせ，この仕組みを
悪用する場合がある。そのためコンピューターを
遠隔操作されたり，ブラウザーの設定が変更され
たり，コンピューターの動作不良を引き起こされ
たりする。

ワンクリック詐欺のページ

Webページ上のボタンや画像などを，1回ク
リックしただけで契約したことにされてしまい，
料金の支払いを求められる。

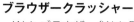

ブログの信ぴょう性

単なる「Web上の個人日記」から始
まったブログであるが，最近は専門知識
をもった個人やタレント，政治家，企業
などがブロガー（更新者）となり，ネット
経由のクチコミ型情報伝達が活発になっ
ている。

しかし，誰でも簡単に開設できるため，
情報発信者の裾野が広がるとともに，信
ぴょう性に問題のあるものや企業による
「やらせブログ」，情報漏えいなどの問題
も生じている。一般的なWebサイトと
同様に，信頼できるかどうかを，自己の
責任で判断することが必要である。

ブログの信頼度を調べるには，①ブログのプロフィールや歴史，②どれぐらいの読者がいるのか，
③どのような反応が多いのかをチェックするとよいといわれている。

問題

**Webページの信ぴょう性に関する記述について，適切なものには○，適切でないものに
は×を付けなさい。**

ア. 有名な会社名を掲げたWebサイトは，信頼することができる。

イ. Webページで見た情報やメールで届いた情報の中には，わざと流されたニセ情報も存在する。

ウ. Webブラウザーは画面に情報を表示するだけなので，メールのようにウイルスに感染する危険
性はない。

エ. Webサイトが信頼できるかどうかは，自己の責任で判断することが必要である。

オ. Webサイトの設置者が，社会的に責任のある組織であれば，そこに掲載された情報には間違い
がない。

リファレンス

なりすましを防ぐために，パスワードは，自分自身できちんと管理することが大切である。

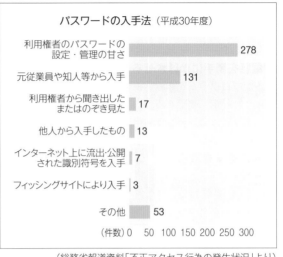

（総務省報道資料「不正アクセス行為の発生状況」より）

1　ユーザー ID とパスワード

インターネットを利用するとき，ショッピングや会員専用のページなどで，ユーザー ID とパスワードの入力が必要になることがある。ユーザーID は，利用者を識別するために使われる文字列のことであり，本人であることを確認するためのパスワードと一緒に入力され，2つが一致すると正規の利用者であることが認証される。認証が行われると，誰でもその本人になりすますことができるため，管理を慎重に行う必要がある。

ユーザー ID は，サービス提供側であらかじめ決めたものを使うことが多く，利用するサービスごとに異なるのが一般的である。一方パスワードは，利用者が後から任意に設定・変更ができる。

2　パスワードの管理

パスワードの管理方法としては，次のようなものがある。
・定期的（数か月に一度くらい）に変更する
・他人の目に触れないようにする（できれば暗記する）
・他人に推測されにくいパスワードにする
・人にパスワードを教えない
・入力するときは人に見られないようにする
・パスワードの使い回しをしない

3　よいパスワードと悪いパスワード

パスワードは，本人にとって覚えやすく他人にわかりにくいものであることが基本である。
○**よいパスワード**

| K¥a3Yfg | ←数字や記号も含むもの |
| sA10tA6 | ←本人だけが覚えやすいもの 佐藤太郎の語呂合わせ |

×**悪いパスワード**

pas	←短すぎるもの
294TyKw32PacRss	←長すぎて覚えられないもの
19990503	←生年月日や電話番号
pencil	←辞書に載っている単語
12345	←規則性のある英数字

パスワードに使われる文字種

アルファベット（大文字，小文字）
数字
記号 ! # $ % ' ( ) * + - . : ; = ? @ [¥] _ ` { } ~
※いずれも半角のみ。ただし，設定によっては「数字4桁」などの制限がある場合もあるので注意。

4　覚えやすいパスワードの作り方

　パスワード自体を忘れてしまっては，せっかくパスワードを作ってもまったく意味がなくなってしまう。そこで1つの方法として，自分で考えた覚えやすい言葉の語呂から，アルファベットや数字を使ったパスワードを作る方法がある。

　鈴木太郎君は，飼っている犬の誕生日である「1月31日」と自分の名前を組み合わせた，「すずき131たろう」から「sZk131Ta6」というパスワードを考えた。これならば太郎君以外の人には，なかなか想像が付かないだろう。

「すずき１３１たろう」
　　　　　→ ローマ字にする
「SUZUKI131TAROU」
　　　　　→ 一部を取り除いて語呂合わせ
　　「SZK131TA6」
　　　　　→ 英字の一部を小文字にする
　　「sZk131Ta6」

5　不正アクセス

　「ユーザーID・パスワードの不正な使用」や「そのほかの攻撃手法」によって，アクセス権限のないコンピューターへのアクセスを行うことを**不正アクセス**という。不正アクセス後には，次のようなことが行われている。
・インターネットバンキングの不正送金
・他人へのなりすまし
・インターネットショッピングの不正購入
・情報の不正入手
・オンラインゲームやコミュニティサイトの不正操作
・Webページの改ざんや消去

不正アクセス禁止法

　この法律で禁止・処罰される行為には，「不正アクセス行為」のほかに，ユーザーID・パスワードなどの認証情報を，その利用者や管理者以外の人間に漏らす「不正アクセス行為を助長する行為」，「ユーザーID・パスワード等の認証情報を不正に取得や保管，入力要求をする行為」がある。

連続自動入力プログラムによる不正ログイン攻撃

コラム

　平成26年度，事業者から約80万件の「連続自動入力プログラムによる不正ログイン攻撃」が警視庁へ報告された。これは，インターネット利用者の多くが，複数サイトで同一のユーザーID・パスワードを使い回ししている状況に目を付け，不正取得した他人のユーザーID・パスワードのリストを悪用し，連続自動入力プログラムを用いてユーザーID・パスワードを入力するというものである。

問題

⑴　パスワードの扱い方として適切なものには○，適切でないものには×を付けなさい。

ア．忘れないように，自分の生年月日をパスワードにしている。
イ．他人には教えないが，親しい友人には教えている。
ウ．人目に触れないように注意している。
エ．パスワードを月に一度は変更している。
オ．覚えやすいように，キーボードの並びのまま「qwerty」をパスワードにした。

⑵　次の各パスワードについて，適切なものには○，適切でないものには×を付けなさい。また，×の場合はその理由を述べなさい。

ア．KtS2ro¥!　　　加藤三郎君が，自分の名前の語呂から作った
イ．QaWsEd　　　清水美佐さんが，キーボードを見て作った
ウ．T(^o^)T　　　田中哲郎君が，自分の名前のイニシャルと顔文字で作った
エ．15Lo2hS　　　イチゴが好きな長谷川良子さんが，そのことと名前の一部の語呂から作った
オ．yamada777　　山田君が，好きな数字と自分の名前から作った

リファレンス

コンピュータウイルス対策は，「常識」であり最低限の「義務」である。また，スマートフォンでも同様の対策が必要である。

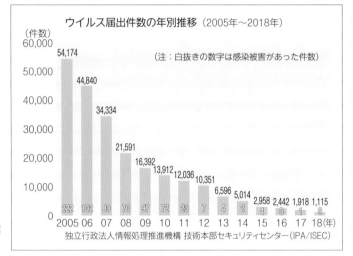

　届出件数は 2005 年をピークとしてそれ以降，年々減少傾向にある。これは一般利用者へのセキュリティソフトの普及などのウイルス対策が進んだためと推測される。

（右図　IPA「コンピュータウイルス届出状況」より）

ウイルス届出件数の年別推移（2005年～2018年）

（注：白抜きの数字は感染被害があった件数）

独立行政法人情報処理推進機構 技術本部セキュリティセンター（IPA/ISEC）

1 コンピュータウイルスとは

「第三者のプログラムやデータベースに対して意図的に何らかの被害を及ぼすように作られたプログラム」(経済産業省の定義)のことで，「伝染」，「潜伏」，「発病」といった自然界のウイルスと同じような振る舞いをする，まさにコンピューター版のウイルスである。

　コンピュータウイルスは年々巧妙化し，その被害も深刻になっている。その感染経路は電子メールやその添付ファイルによる感染や Web ページの閲覧，ファイルのダウンロードなどによる。

2 感染したときの症状

　コンピュータウイルスには，単なるいたずらをするものから，システムを破壊してしまうような悪質なものまでいろいろある。コンピュータウイルスへ感染したときの症状としては，次のようなものがある。
・画面にメッセージや画像を表示する
・プログラムやデータを破壊する
・パスワードやデータなどを外部に送り出す
・コンピュータウイルスをメールなどでまき散らす
・シャットダウン，再起動を繰り返す

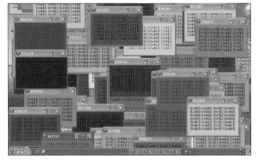

「Joke-Owned」の感染画面
https://www.mcafee.com/japan/ より

3 コンピュータウイルス対策

　インターネットへの常時接続が一般的になってきたことから，ユーザーとしてコンピュータウイルス対策をしておくのは，もはや「常識」であり最低限の「義務」である。
(1)　ウイルス対策ソフトを使う
　ウイルス対策ソフトを使用し，感染の防止や発見，駆除ができるようにしておく。
(2)　パターンファイルを常に更新する
　新たなウイルスにも対抗できるように，ウイルスの情報を登録したパターンファイル(ウイルス定義ファイル)を，常に更新しておく。
(3)　アップデートを忘れずに
　OS やメールなどのソフトウェアにセキュリ

ティ上の弱点(セキュリティホール)が発覚したとき，最新のものに更新する必要がある。セキュリティホールを利用して感染していくコンピュータウイルスがあるからである。ソフトウェアの更新状況を頻繁にチェックし，更新されていればすぐにセキュリティパッチをインストールしてソフトウェアを最新のものにする必要がある。

（4）　不用意にファイルを開かない

電子メールに添付ファイルが付いている場合は，差出人がよく知っている人でも注意が必要である。メールソフトの設定で，添付ファイルを自動的に開かないようにしておくとよい。

また，ソフトウェアのダウンロードは，信頼できる Web サイトから行うようにする。素性の知れない怪しいサイトにあるソフトウェアには，どんな危険が潜んでいるかわからない。

4　感染した場合の対処方法

コンピュータウイルスに感染した疑いがある場合には，次のような対処を行う。

（1）　ネットワークから切り離す

感染すると，メールなどを利用して，ほかのコンピューターへの感染を試みるので，すぐにネットワークのケーブルを外すなどして，ネットワークから切り離す。

（2）　ウイルスを駆除する

最新のパターンファイルを適用したウイルス対策ソフトやウイルス対策ソフト各社が配布する駆除ソフトなどを使って，ウイルスを駆除する。

（3）　駆除できない場合はコンピューターを初期化する

駆除がうまくできなかった場合，初期化 CD などでコンピューターを初期化し，購入したときの状態に戻す。

スパイウェア　コラム

スパイウェアとは，他人のコンピューターに入り込んで，そのユーザーの個人情報を調査し，その結果を第三者に転送するプログラムのことをさす。収集する情報は，Web サイトの訪問履歴，メールアドレス・氏名・住所・電話番号などの個人情報，システム情報などである。本来は，Web サイトから，自分の嗜好に合った情報を配信してもらったり，ユーザーサポートを受けたりなど，ユーザーの利便性向上のために考え出されたものであったが，この仕組みを悪用する者が急増している。インストール時に利用条件を表示している場合は，直ちに違法といえるものではない。

最近のウイルス対策ソフトには，スパイウェア対策機能をもっているものが多い。

コンピュータウイルスの種類 豆知識

- **ファイル感染型**……アプリケーションなどに感染し，それらが実行されたとき制御を奪ったり，プログラムを書き換えたりして感染増殖する。
- **マクロ型**……アプリケーションソフトのマクロ機能(自動化機能)を利用し，汚染されたファイルを開いただけで感染する。
- **インターネット型**……ブラウザー上の多彩な表現に用いられるプログラム「JAVA(ジャバ)」を介して不正を実行する。
- **トロイの木馬**……基本的に増殖を目的としない不正プログラムで，実行されるまでファイルに潜み，実行されると直接的な破壊活動を行う。
- **ワーム**……メールやネットワークを介して拡散し，感染する。単体で感染を広めることや大量に自己増殖することが可能である。

問題　次の説明のうち，適切なものには○，適切でないものには×を付けなさい。

ア．コンピューターがウイルスに感染したようなので，友だちにどうすればよいかメールで聞いた。

イ．コンピュータウイルスは，コンピューターがインターネットにつながっていなければ感染しない。

ウ．コンピュータウイルスは，自分のコンピューターだけではなく，勝手に他人のコンピューターにも感染する。

エ．コンピュータウイルスは，コンピューターに感染すると必ずすぐに活動を開始する。

オ．知らない人から添付ファイルの付いたメールがきたので，すぐに開いて内容を確認した。

リファレンス

10 . スマートフォンのアプリ

スマートフォンはもはやパソコンと同等の情報機器であると考えることが大切である。ウイルス対策ソフトを必ずインストールしておくことや，アプリのインストールの際は十分注意することが必要である。

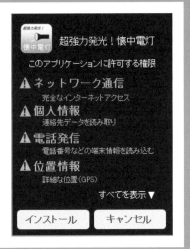

　強力な光を放つ機能のみの「懐中電灯アプリ」。

　このアプリのアクセス許可に「ネットワーク通信」と「個人情報」，「電話発信」，「位置情報」は必要ないはずである。

　アプリをインストールして起動すると，電話番号，メールアドレス，電話帳のデータ，位置情報などがインターネットを通じて送信される可能性がある。

超強力発光！
懐中電灯

超強力発光！懐中電灯

このアプリケーションに許可する権限

⚠ **ネットワーク通信**
　　完全なインターネットアクセス

⚠ **個人情報**
　　連絡先データを読み取り

⚠ **電話発信**
　　電話番号などの端末情報を読み込む

⚠ **位置情報**
　　詳細な位置(GPS)

すべてを表示 ▼

インストール　　キャンセル

あっ
このアプリ
おもしろそう！
インストール
してみよう…

ちょっと
待って！

そのアプリ，
本当に
安全？

1　悪意をもったアプリ

べんり
アプリ

写真

位置情報

電話帳

　便利な機能があるように見せかけた悪意あるスマートフォンアプリにより，端末内の電話帳などの個人情報を知らない間に盗み取られてしまう。さらにその情報が，スパムメールや詐欺に悪用され，友人や知人にまで被害がおよぶ場合もある。

　その手口も年々巧妙になり，次のようなものも出回っている。

・一応の機能があり，公式マーケット内で高評価を得ており，ダウンロード数も多く，利用者が安心するように仕向けたもの
・ブラウザー機能などの最小限の機能のみをもたせることで，正規アプリを装い，実際の詐欺行為は誘導先のサイトで行うもの
・ダウンロードする際は無害なアプリでも，更新機能(アップデート)によって有害アプリに変わるもの

2　被害に遭わないための対策

　このような不正なアプリの被害に遭わないためには，以下に示すような対策が有効である。

アクセス許可を確認する

　アプリをインストールしたり，初めて起動する際に表示される「アクセス許可」(アプリが端末のどの情報や機能にアクセスするか定義したもの)の一覧には必ず目を通すことが必要である。

　不正なアプリには，個人情報などを盗み取るため，アプリの種類から考えると不自然なアクセス許可を利用者に求めるものがある。

　例えば，「バッテリーの節約」をうたいながら，「連絡先データの読み取り」や「インターネットへのアクセス」の許可を求める場合は，それぞれ，「個人情報を取得する目的」と「個人情報を外部に送信する目的」がある。

　アプリをインストールする際に，不自然なアクセス許可や疑問に思うアクセス許可を求められた場合には，そのアプリのインストールを中止すべきである。

信頼できるマーケットからアプリをインストールする

　アプリの公式マーケットでも，不正アプリが発見されている。そこで，可能な限り，各携帯電話会社が運営するマーケットを利用するとよい。これらのマーケットでは，運営者が独自にアプリの

チェックを実施している。

セキュリティソフトをインストールする

スマートフォンにセキュリティソフトをインストールし，かつ最新の状態に保っておくことで，このような不正なアプリのインストール時に注意を促してくれる。また，「アクセス許可」の内容をチェックしてくれるものもある。

3 スマートフォンでのワンクリック詐欺

アダルトサイトなどで「このアプリをインストールしてください。動画などが見られます。」という説明に従い，アプリをインストールしてしまう利用者が多い。

パソコンでも同じような不正プログラムがあるが，スマートフォンの場合は個人情報を抜き取っているので，請求画面に自分の電話番号やメールアドレスが表示されるという特徴があり，お金を振り込んでしまう人も多い。

請求画面が表示されたときにシャッター音が聞こえる

スマートフォンのカメラ機能を制御したり，撮影した写真をネットワーク経由で送信したりすることは不可能である。

ただし，利用者の操作をきっかけにブラウザー上で音楽ファイルを再生させることは可能であることから，請求画面を表示させる際にシャッター音の音楽データを再生させ，利用者に自分の写真が撮影・送信されたと思わせることを狙っているのである。

自動的に電話を発信させる

登録完了画面が表示された後，自動的に電話を発信させる Web サイトが確認されている。確実に利用者の電話番号を取得するために，発信先の番号の先頭には「186」が追加されているため，利用者が非通知設定にしていても，電話番号が相手に通知されてしまうのである。

アクセス許可の例（一部）

アプリをインストールする際には，必ずアクセス許可を確認し，アプリの種類や動作から考えると，不自然なアクセス許可を求めてくる場合は，インストールを中止すべきである。

アクセス許可	内　　　　容
電話発信	アプリが，電話番号や端末識別番号，SIM 情報を読み取ることができる。
個人情報	アプリがアドレス帳などのデータを読み取ることができる。
位置情報	アプリがスマートフォンの位置情報を知ることができる。
ネットワーク通信	アプリがインターネットを利用し，情報を送受信することができる。
SMS メッセージの送信	SMS メッセージの送信をアプリに許可する。悪意のあるアプリが知らない間にメッセージを送信し，料金が発生することがある。

問題 次の説明のうち，適切なものには○，適切でないものには×を付けなさい。

ア．アプリの公式マーケットにあったアプリだから，安心してインストールできる。

イ．アクセス許可をよく読んで，疑問に思うときはインストールしないようにしている。

ウ．不正アプリは，スマートフォンのカメラ機能を制御して，撮影した写真をネットワーク経由で送信することが可能である。

エ．有名なゲームと同じ名前なので，公式マーケットからでなくてもインストールしても大丈夫である。

オ．スマートフォンには，パソコンと同様にセキュリティソフトをインストールすべきである。

リファレンス

11. 著作権

著作者の権利は，私たちにとって身近なものであり，尊重しなければならない権利である。

著作物のいろいろ

- ■言語 (小説・脚本…)
- ■映画
- ■音楽
- ■写真
- ■美術
- ■舞踊
- ■コンピュータ・プログラム

1　著作者

著作者とは，「著作物を創作する人」のことである。一般には，小説家などの「創作活動を職業とする人」だけが著作者になると考えられがちだが，職業としていなくても，作文・レポートなどを書いたり，絵を描いたりすれば，それを創作した人が著作者となる。創作した人が小学生や幼稚園児であろうと，うまいか下手かや，芸術的価値などといったことは一切関係ない。

2　著作物

著作物は，著作権法の規定で，
(ア)「思想又は感情」を
(イ)「創作的」に
(ウ)「表現したもの」であって，
(エ)「文芸，学術，美術又は音楽の範囲」に属するものと定義されている。
よって，以上の(ア)〜(エ)のすべての条件を満たすものが，著作物であるといえる。

3　著作者の権利

著作者の権利には，人格的な利益を保護する「著作者人格権」と財産的な利益を保護する「著作権（財産権）」の2つがある。

●著作者人格権

名称	内容
公表権	著作物を公表するかしないか，するならば，いつ，どのような方法でするかを決定できる権利
氏名表示権	著作物を公表するときに，氏名を表示するかしないか，するならば，実名か変名かを決定できる権利
同一性保持権	著作物の内容又は題号を自分の意に反して勝手に改変されない権利

●著作権（財産権） ※一部

名称	内容
複製権	著作物を複製する権利
上演権・演奏権・上映権	著作物を公に上演・演奏・上映する権利
公衆送信権	著作物を自動公衆送信・放送・有線放送する権利
伝達権	公衆送信された著作物を受信装置を使って公に伝達する権利
口述権	著作物を朗読などの方法により口頭で公に伝える権利
展示権	美術の著作物を公に展示する権利
頒布権	映画の著作物の複製物を頒布（販売・貸与など）する権利
譲渡権	映画以外の著作物の原作品又は複製物を公衆へ譲渡する権利
貸与権	映画以外の著作物の複製物を公衆へ貸与する権利
翻訳権・翻案権	著作物を翻訳，編曲，変形，翻案する権利

4 権利の発生と保護期間

権利の発生

著作権は，著作者が著作物を創作したときに自動的に発生する。したがって，権利を得るためにどんな手続きも必要ない。

保護期間

●著作者人格権

著作者だけがもっている権利で，譲渡・相続はできない。この権利は著作者の死亡によって消滅するが，死後も一定の範囲で守られることになっている。

●著作権（財産権）

一部又は全部を譲渡・相続できる。よってこの場合は，「著作権者＝著作者」ではなくなる。

著作権の原則的保護期間は，著作者が著作物を創作した時点から著作者の死後70年までである。

5 著作物を自由に使える場合

著作権法では，一定の場合に，著作権を制限して著作物を自由に利用することができる。次の場合（一部）がそれにあたる。

私的使用のための複製

自分自身や家族など，限られた範囲内で利用するために著作物を複製することができる。

図書館などでの複製

法令で定められた図書館などに限り，利用者に対し複製物の提供などを行うことができる。

引用

自分の著作物に，正当な範囲内で他人の著作物を引用して利用することができる。

学校における複製など

先生や生徒は，授業の過程で利用するために著作物を複製することができる。

非営利目的の演奏など

営利を目的とせず，観客から料金を取らない場合は，著作物の上演・演奏などができる。

6 営利を目的としない上演など

営利を目的とせず，観客から料金を取らない場合は，著作権者の了解なしに著作物の上演・演奏などができる。ただし，出演者などは無報酬である必要がある。なお，この特例は，練習などのために脚本・楽譜などをコピーして出演者に配布することまでは認めていないので，コピーについては，原則として著作権者の了解が必要である。

映画の著作物

著作権法では，映画の概念を広くとらえている。映画の著作物の例としては，テレビドラマ，コマーシャルフィルム，ホームビデオで撮影した映像なども，これに含まれる。また判例により，ゲームソフトの映像部分も映画の著作物として取り扱われている。

問題

(1) 次に示したものは，著作物であるといえるか。著作物といえるものには○，そうでないものには×を付けてその理由を述べなさい。

ア．「富士山の高さ：3,776メートル」といったデータ

イ．プロカメラマンが撮影した名画の複製写真

ウ．宿題のために書いた読書感想文

エ．小学生の作った俳句

オ．頭の中で考えているアイデア

(2) 次に述べた文章は，著作権に関するものである。適切なものをすべて選びなさい。

ア．著作権を取得するためには，文化庁への登録が必要である。

イ．父から頼まれたので，テレビドラマを録画してあげた。

ウ．クラスメイトを集め，欲しい人に音楽CDをダビングしてあげた。

エ．チンパンジーや象が描いた絵は，著作物である。

オ．市販のイラスト集のイラストを，個人のWebページで使いたいので，作者の了解を得た。

リファレンス

著作物の伝達に重要な役割を果たしている人々に認められた権利も尊重しなければならない。

著作物をつくる人

・著作物を
創作する者

作家
脚本家
作詞家
作曲家

など

著作物を伝える人

・実演家

歌手
俳優
演奏家
舞踏家

など

・レコード製作者
・放送事業者
・有線放送事業者

1 　著作隣接権

著作隣接権とは，著作物の伝達に重要な役割を果たしている実演家，レコード製作者，放送事業者，有線放送事業者に認められた権利である。

おもな権利には，自分の実演を録音・録画できる権利（録音権・録画権），放送・有線放送できる権利（放送権・有線放送権），Webページなどで公衆からの求めに応じ自動的に送信できるようにする権利（送信可能化権）などがある。

なお，著作者の権利における「著作者人格権」にあたる，「氏名表示権」と「同一性保持権」が実演家のみに与えられている。

権利者	権利の名称
実演家	氏名表示権，同一性保持権，録音権・録画権，放送権・有線放送権，商業用レコードの二次使用料を受ける権利，譲渡権，貸与権，送信可能化権
レコード製作者	複製権，商業用レコードの二次使用料を受ける権利，譲渡権，貸与権，送信可能化権
放送事業者・有線放送事業者	複製権，再放送権・有線放送権，テレビジョン放送の伝達権，送信可能化権

ファイル交換ソフトによる著作権侵害　 コラム

ファイル交換ソフトとは，インターネットを介して，そのソフトを導入している不特定多数どうしが，それぞれのコンピューターに保存されている電子ファイルを，検索して自動的に受け取ることができるようにするものである。

したがって，ソフトを導入した時点で，それまでもっていた電子ファイルを送信可能化することになり，送信可能化権を侵害する。

また，電子ファイルを他人からダウンロード（複製）した時点で，そのファイル自体が送信可能化されることになり，複製権と送信可能化権を侵害する。

レコード　 豆知識

音を最初に録音したもの，いわゆる原盤のことで，媒体は問わない。よってCD，テープ，コンピューターのハードディスクなどに録音された場合でも，レコードとなる。

なお市販を目的とした，レコード（原盤）の複製物（市販されている音楽CDなど）のことを**商業用レコード**という。

2 音楽の著作権

　1枚のCDには作詞家・作曲家の権利（著作権）のほか，レコード会社や歌手・演奏者の権利（著作隣接権）も含まれている。例えば，市販CDを音源としてインターネットのWebページにアップロードするような場合には，著作権者（JASRACの管理作品であればJASRAC）の許諾と同時に著作隣接権者の許諾が必要である。

3 JASRAC

　JASRAC（一般社団法人日本音楽著作権協会）は，国内の作詞家・作曲家・音楽出版者などの権利者から，著作権の管理委託を受けている公益法人である。

　作詞家・作曲家・音楽出版者（委託者）は，自身の著作権をJASRACに信託する（著作者人格権を除く）。受託者であるJASRACは，委託者に代わって著作物の利用者に，使用を許諾して，使用料を受け取り，委託者に分配する。

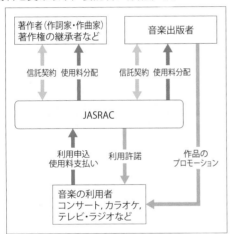

　なお，多くの動画投稿（共有）サイトでは，その事業者がJASRACと許諾契約を締結しているので，動画の投稿者が個別に許諾を得なくても，JASRACの管理楽曲を含む動画をアップロードすることができる。ただし，その音源は市販のCDではなく，自身で演奏したものや自身の演奏に合わせて歌唱したものでなければならない。

実演　豆知識

　実演とは，「著作物を，演奏したり，歌ったりなどして演じること」や「著作物以外のものを演じる場合で芸能的な性質をもつもの」のことをいう。実演のうち後者の具体的な例としては，曲芸，手品，物まねなどがあげられ，著作物を演じていなくとも，著作権法上の実演として保護されるのである。

　なお，体操の「床運動」や，「フィギュアスケート」の演技などは，「競技」として行われるもので，「芸能」ではないので，実演ではないが，同じような行為でもアクロバットショーやアイススケートショーのように，観客向けのショーとして行われるものは実演になる。

問題　**著作隣接権に関して述べた文について，適切なものには○，適切でないものには×を付けなさい。**

ア．スポーツの試合は著作権法上の実演にあたるので，著作権法の保護を受ける。

イ．サーカスの曲芸や奇術は実演として，著作権法の保護を受ける。

ウ．小学校の学芸会の劇に参加した子どもの演技は，実演として著作権法の保護を受ける。

エ．鳥の鳴き声を録音した者は，著作物を録音したのではないので，著作隣接権をもたない。

オ．著作者の場合と異なり，実演家には，人格的な利益を保護する人格権はない。

リファレンス

レポート作成には，情報の効果的な検索と適切な引用が不可欠である。

論理演算の該当欄に入力しての検索

| キーワード | 人口 |

☐ 文章で検索する(<u>自然文検索機能</u>)
☐ 文字の並び順通り検索する(<u>フレーズ検索</u>)

追加キーワード

いずれかの語を含む(<u>OR検索</u>)	
すべての語を含む(<u>AND検索</u>)	高齢化
除外する語(<u>NOT検索</u>)	

「人口」と「高齢化」の両方を含む情報が検索される。

検索オプションでの検索

フィルタ機能	◉なし ○<u>ブログフィルタ</u> ○<u>掲示板フィルタ</u>
ドメイン指定	http:// [　　　　] を含む ▾
ファイルタイプ	すべて ▾ を含む ▾

1 検索エンジン

　キーワードなどを使って，インターネット上の情報を検索できる Web サイトのことを**検索エンジン**という。検索エンジンは，ロボット型とディレクトリ型の 2 種類に大別できる。

ロボット型

　ロボットと呼ばれる専用のアプリケーションソフトウェアが，インターネット上の Web サイトを自動的に巡回してデータを収集する。指定したキーワードなどの検索条件に従い，各 Web サイト内を全文検索することができる。

ディレクトリ型

　人手で Web サイトの索引を構築し，カテゴリ別に分類する。分野別のカテゴリを順にたどっていくことで検索する。

　ロボット型は，情報量は多いが質の低いものも含まれる可能性があり，ディレクトリ型は，情報の質は高いが，情報量は多くない特徴がある。

2 検索条件の工夫

　検索エンジンでキーワード検索する場合，キーワードの選択によっては検索結果が大きく変わる。さらに 1 つのキーワードで検索する場合よりも，2 つ以上のキーワードを組み合わせて検索する場合のほうが，より的確に検索できることが多い。

AND 検索

　キーワード A と B の両方を含む情報を検索する。情報を絞り込むことができる。キーワードは，「A　AND　B」と入力する。

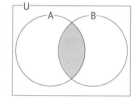

OR 検索

　キーワード A と B のどちらか一方を含む情報を検索する。検索される情報を増やすことができる。「A　OR　B」と入力する。

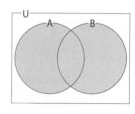

NOT 検索

　キーワード A を含む情報から，キーワード B を含む情報を除いて検索する。「A　NOT　B」と入力する。

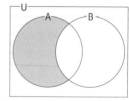

　以上のような論理演算子を使う検索サイトのほか，論理演算の該当欄にキーワードを入力するものや，検索オプションを選ぶものもある。

<検索オプションの例>

・ブログや掲示板を除く
・(go.jp や co.jp など)ドメインを指定する
・ファイルタイプや日付を指定する

3 引用

引用とは，自説を補強などするために，自分の著作物の中に，公表された他人の著作物を掲載する行為をいう。引用といえるためには，以下の要件を満たすことが必要である。

・目的に照らして引用する必然性があること
・引用する側とされる側の双方は，質的量的に主従の関係であること
・引用部分を「」(カギかっこ)でくくるなど，両者が明確に区分けされていること
・著作物の出所を明示していること
・引用部分を原文のまま取り込んでいること

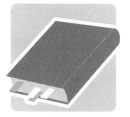

4 引用の方法

引用文が短い場合

「」(カギかっこ)でくくり，次のように書く。

　山田太郎[12]は「文章作法などというような本を書くのは大変むずかしい」と言っている。

引用文が長い場合

長い文章を引用するときには，「」ではくくらず，2字分字下げして次のように書く。

　佐藤次郎[23]は

　　　文章作法などというような本を書くのは大変むずかしい。だいたい，自分はどう

やって文章を書いているのだろうと，改めて考えてしまう。(略)
と述べている。…

5 出典の示し方

出典を示すには，「4. 引用の方法」のように，引用する文献などに引用順に番号を付け，レポートの最後に番号順に各文献を示す。

文献の示し方のスタイルは，次のようになる。

図書の場合

著者名，書名，出版社名，出版年，引用ページを示す。

〈例〉12　山田太郎：「文章作法」，(第一出版，2019)，p.103

雑誌記事の場合

著者名，論文名(表題)，書名，巻，出版年，引用ページを示す。

〈例〉15　清水直樹：「ブログの著作権」，著作研究3巻(2019)，p.46

新聞記事からの引用について

新聞名，年月日，朝夕刊の別，掲載面を示す。

〈例〉23　「日本新聞」2019.6.23 朝刊 15面

電子メディアの場合

引用先がWebページであるときも，基本的には同じ示し方だが，最後にURLとアクセス年月日を付ける。

〈例〉34　田中隆：2019「社会調査のガイド」
　　　(http://www.abcd.ac.jp/ga.html
　　　2019.12.10)

問題

(1) 「高齢化」というキーワードのみで検索したときの情報の件数に比べ，次の各キーワードで検索される情報の件数は増えるか，減るか答えなさい。

ア．「高齢化 AND 少子化」で検索した。

イ．「高齢化 OR 少子化」で検索した。

ウ．「高齢化 NOT 少子化」で検索した。

(2) 次の場合において，引用した文献の出典を「出典の示し方」にならって示しなさい。ただし，文献番号は除いてよい。

ア．技術情報社が2019年に出版した「Excel関数一発マスター」(著者は林一郎)の95ページから引用した。

イ．2019年10月25日発行の毎朝新聞の夕刊の5面から引用した。

ウ．Webページ(アドレス http://www.abc.ac.jp/net.html)に載っていた，山田拓郎氏の「ネットトラブル」という論説(2019年8月の記事)から引用した。なお，閲覧したのは2019年11月10日だった。

リファレンス

自分の写真が突然，無断でどこかに使われたり，プライバシーが他人にのぞかれたりしたら，不快感や憤りを覚えるはずである。

1　肖像権

　他人から無断で写真を撮られたり，撮られた写真が無断で公表されたり，利用されたりすることがないように主張できる権利のことである。日本では，肖像権は法律の条文としては存在しないが，数々の判例によって法的に認められている。

　肖像権には，人格権の一部としての肖像権と，財産権であるパブリシティ権としての肖像権がある。

人格権の一部としての肖像権
　タレントなどの有名人に限らず，誰にでも認められる権利である。よって，一般人の写真が無断で雑誌などに掲載された場合でも，人格権侵害や名誉毀損などで訴えることもできる。

「パブリシティ権」としての肖像権
　タレントなどの有名人の肖像が，経済的利益をもたらすことに着目した権利で，財産権として認められるようになったものである。

2　プライバシー権

　プライバシー権とは，憲法などには明文化されてはいないが，現在，基本的人権の1つとして認められている権利である。当初は，「みだりに私生活などが暴かれないことを求める権利」であると消極的な権利として考えられていたが，情報化が進むにつれ，現在は「自己に関する情報の流れをコントロールする個人の権利」であると積極的な権利として解釈されている。

3　Webページでの肖像の掲載

　Webページに写真などの肖像を掲載する場合は，次のようなことに注意する必要がある。

写真などの著作権は誰にあるのか
　写真などの著作権者に無断で，写真などをWebページに掲載してはいけない。著作権者を特定し，必ず掲載の許可を得なければならない。

肖像の本人に許可を得ているか
　写真などの著作権者が自分自身であった場合や著作権者に掲載の許可を得た場合でも，肖像の本人に掲載の許可を得ていなければ，肖像権の侵害になる。また，本人がタレントなどの有名人の場合にはパブリシティ権の侵害にもなる。

4 肖像権などを侵害しないために

肖像権やプライバシー権を侵害しないために，以下のことに注意が必要である。

本人から利用の許諾を得る

誰にでも肖像権とプライバシー権があるので，インターネットなどで公表する際には必ず本人から許諾を得なければならない。また，有名人の場合は，さらにパブリシティ権があるので，無断で使用すると損害賠償を請求されることがある。

事実でも他人のプライバシーの公表はしない

みだりに公表されたくない情報は，誰にでもある。その内容がたとえ事実であっても他人が勝手に公開してはいけない。

位置情報の付いた写真に注意する

デジタルカメラやスマートフォンで写真を撮影する際に，撮影場所の位置情報を写真に記録することができる。たとえ利用の許諾を得ても，位置情報が残っていた場合，他人に撮影場所が知られてしまい，予期せずプライバシー侵害をしてしまう可能性がある。

コラム

個人情報保護とプライバシー保護

個人情報保護法制とプライバシー権とは深い関係があり，一緒のものと思われがちである。しかし，個人情報保護法で保護される個人の権利利益は，必ずしもプライバシー権とは一致していない。法を遵守していてもプライバシー保護に不足の場合もあるし，プライバシー保護を十分に行っても本法に違反する場合もある。

プライバシーは，①私的な事柄であること，②公でないこと，③一般人から見て公開を欲しない事柄であることなどが要件とされているが，個人情報は，これらの要件を要しない点で，プライバシーの概念よりも広いものである。

問題

肖像権を侵害しないための行動という観点からみて，適切なものには○，適切でないものには×を付けてその理由を述べなさい。

ア．有名なアイドル歌手が，野外コンサートをしていたので，通りがかりに写真を撮って自分のブログに掲載した。

イ．修学旅行で撮影した友人の集合写真をWebページに載せたいので，写っている友人全員から掲載の許可をもらった。

ウ．旅行先の風景写真がよく撮れていたので，コンテストに出そうとしたが，見知らぬ人物が写り込んでいるので出品をあきらめた。

エ．見知らぬ人物が写っていても，自分で撮影した写真なのでWebページに載せるのに問題はない。

オ．自分で撮った風景写真に何人かの人が写り込んでいたが，顔の判別ができないのでWebページに掲載しても問題はない。

リファレンス

15. 個人情報の扱い方

個人情報の保護は，個人情報取扱事業者の義務であるが，私たちも注意しなければいけないことがある。

個人情報保護法施行後，事業者による個人情報の漏えい件数はいったん減少したが，ここ数年は横ばい状態である。

また，平成28年度に「氏名，生年月日，性別，住所」の基本4情報のみが漏えいした件数は，全体の約7％であり，多くは，電話番号，口座番号，メールアドレス，クレジットカード番号などの情報も含めて漏えいしている。

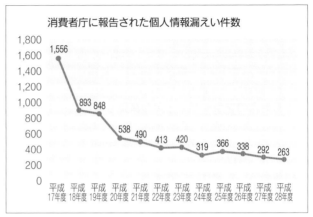

消費者庁に報告された個人情報漏えい件数

（消費者庁資料「平成28年　個人情報の保護に関する法律
施行状況の概要」より）

---

1 個人情報

個人情報とは，生存する個人に関する情報であり，次のいずれかに該当するものをいう。

①**情報に含まれる記述などにより特定の個人を識別することができるもの（ほかの情報と容易に照合することができ，それにより特定の個人を識別することができることとなるものを含む）**

例：名前，住所，社員番号と社員台帳など

②**個人識別符号が含まれるもの**

例：顔認識，生体認証用のデータ，パスポート番号など

2 個人情報保護法

高度情報通信社会の進展にともなって，個人情報の利用が著しく拡大した。そこで，個人情報の有用性に配慮しつつも，個人の権利利益を保護するために定められた法律である。この法律には，
・個人情報の適正な取り扱いに関する基本理念
・政府による基本方針や施策の基本となる事項
・国や地方公共団体の責務
・個人情報を取り扱う事業者の遵守すべき義務

などが定められている

3 個人情報取扱事業者の義務

個人情報取扱事業者には，さまざまな義務が課せられるが，大きく次の5つに分けられる。

①**利用目的の特定・公表**

本人にとって，個人情報がどのような目的で取り扱われるか，具体的にわかるようにしなければならない。

②**適正管理と利用，第三者への提供**

個人データの漏えいや毀損などの防止や安全管理のために必要かつ適切な措置を講じなければならない。また，あらかじめ本人の同意なしに第三者に提供してはいけない。

③**本人の権利と関与**

本人の求めに応じて，利用目的や保有個人データの通知・開示・訂正・利用停止を行わなければならない。

④**本人の権利への対応**

受付窓口や本人確認の方法など，本人からの問い合わせに対応する。

⑤**苦情の処理**

本人からの苦情に対応する体制を確立することが求められている。

4 情報流出による影響

インターネット上に情報が流出すると，次のようなことになってしまう。

流出した情報は消せない

書き込んだブログの記事や写真，掲示板での書き込みなどの情報は，一度インターネットに出てしまうと消すことはできない。たとえ，自分の掲載した電子データを消去したとしても，そのデータは簡単にコピーされて広まっていく。

情報は悪用される

個人情報が流出すると，迷惑メール，架空請求，なりすまし，クレジットカードの不正利用など，さまざまな用途で悪用されてしまう。

まわりの人にも被害がおよぶ

例えばスマートフォンの電話帳データなど，情報の中に他人の情報が含まれる場合，その人々にも被害がおよぶことになる。

5 個人ができる情報流出対策

ごく親しい友人に提供するつもりで書いた内容でも，インターネット上に公開されれば，すべての利用者が自由に見たり，コピーしたりすることができる。誰でもアクセスすることができるデータとして「情報」を提供するときには，以下のことに注意する必要がある。

掲示板やブログなどに個人情報は載せない

むやみに個人情報を書き込まないようにする。また，ブログなどに載せる写真では，ジオタグ（地図上の緯度・経度などのデータが写真などにタグとして付与されたもの）や撮影場所が特定できる情報は含めないようにする。

ウイルス対策ソフトを使う

Webページを閲覧しただけで，コンピューターやスマートフォンのデータを盗まれるような場合もある。また，メールを開けた際に，情報を盗み出すウイルスが入ったソフトがインストールされてしまうこともある。これらを防止するためにも，ウイルス対策ソフトは必ずインストールしておくことが必要である。

スマートフォンの「アプリの権限」に注意

スマートフォンにアプリをインストールする際の，「アプリの権限」の設定に注意が必要である。アプリの内容から考えて，必要以上に権限を求めるものは要注意である。

プライバシーポリシー

個人情報取扱事業者が，収集した個人情報をどのように取り扱うかを定めた約款のことで，「個人情報保護方針」ともいう。第三者への提供条件なども記載されているので，利用契約への同意の前によく読む必要がある。

悪質なものでは，スマートフォンの無料サイトなどで，ほかの有料サービスへの提供条件がわかりにくい場所に記載されている場合があるので注意が必要である。

デジタルタトゥーと忘れられる権利

デジタルタトゥーとは，インターネット上に投稿した内容などの情報が，消えることなく入れ墨（タトゥー）のように半永久的に残ってしまうことを表した言葉である。

このような問題に対して，自分に関する不都合な情報を削除するための**忘れられる権利**が日本でも議論されており，EU（欧州連合）では，2018年に施行された「一般データ保護規則（GDPR）」で明文化された。これにより，EU域内では，プライバシーを侵害する情報へのリンクの削除を検索サイト会社へ個人が要請できるようになった。

問題　次に示すものが，個人情報である場合には○，そうでない場合には×を付けなさい。

ア．クレジットカード情報
イ．ある株式会社における昨年度の売上高
ウ．昨年度末における○○県内の成人男子の住民数
エ．Eメールアドレス
オ．会員ID

さくいん

Index

リファレンスのこたえ

p.177 アー事前にブログの公開範囲がどこまでかを確認し，自分の写真が他人に見られたりコピーされたりしてもよいものかを考える。また，友だちの趣味などは掲載の許可があれば紹介してもよい。

イー他人の写真を無断で撮影してはいけない。最悪の場合，カメラのレンズを向けただけでも，迷惑行為防止条例違反で逮捕されることがある。また，ブログに掲載するのであれば，必ず事前に撮影とブログ掲載の許可をもらわなければならない。

ウー違法コンテンツにあたるので，ダウンロードしてはいけない。

エー自転車を運転しながら携帯電話を手にもって通話するのは違反である。必ず安全な場所に停車してから通話するようにする。

オー「○時になったらやめる」などのルールを決めておき，勇気を出してやめる。

p.179 アー×，イー○，ウー×，エー×，オー○
p.181 アー×，イー×，ウー○，エー○，オー×
p.183 イ，ウ，エ

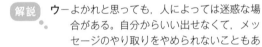

ウーよかれと思っても，人によっては迷惑な場合がある。自分からいい出せなくて，メッセージのやり取りをやめられないこともある。

p.185 ア，イ，オ
p.187 アー×，イー○，ウー×，エー○，オー○
p.189 アー×，イー○，ウー×，エー○，オー×

ア一会社名を掲げていても，やみくもに信頼してはいけない。名前を騙った偽サイトの可能性もある。

オー情報の信ぴょう性は高いが，「掲載された情報には間違いがない」と断言はできない。

p.191 (1) アー×，イー×，ウー○，エー○，オー×
(2) アー○，イー×，ウー○，エー○，オー×

イーキーボードの配列から作ったので規則性があり他人に推測されやすい。

ウー一般に知られており他人に推測されやすい。

オー自分の名前や規則性のある数字であり他人に推測されやすい。

p.193 アー×，イー×，ウー○，エー×，オー×
p.195 アー×，イー○，ウー×，エー×，オー○
p.197 (1) アー×，イー○，ウー○，エー○，オー×

アー単なるデータは「2　著作物」(ア)の条件により著作物から除かれる。

イー「他人の作品の模倣品」などの創作が加わっていないものは，(イ)の条件により著作物から除かれる。

オー「アイデア」などの表現されていないものは(ウ)の条件により著作物から除かれる。

(2) イ，オ

p.199 アー×，イー○，ウー○，エー×，オー×

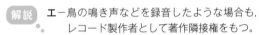

エー鳥の鳴き声などを録音したような場合も，レコード製作者として著作隣接権をもつ。

p.201 (1) アー減る，イー増える，ウー減る
(2) アー林一郎：「Excel 関数一発マスター」，（技術情報社，2019），p.95
イー「毎朝新聞」2019.10.25 夕刊5面
ウー山田拓郎：2019「ネットトラブル」（http://www.abc.ac.jp/net.html 2019.11.10)

p.203 アー×　肖像権やパブリシティ権の侵害になる，イー○，ウー○，エー×　肖像権の侵害になる，オー○

p.205 アー○，イー×，ウー×，エー○，オー○

表紙・本文デザイン／アトリエ小びん　佐藤志帆
マンガ／櫻井敦子

パーフェクトガイド情報　Office 2019 対応

● 編　者──実教出版編修部

● 発行者──小田良次

● 印刷所──株式会社広済堂ネクスト

● 発行所──実教出版株式会社

〒102-8377
東京都千代田区五番町 5
電話〈営業〉（03）3238-7777
　　〈編修〉（03）3238-7785
　　〈総務〉（03）3238-7700

002509019

ISBN978-4-407-34866-8

本書で扱う表計算ソフトの関数

関数 ▶関数の意味	記述例 ▶記述例の意味	ページ
AND(論理式 1, 論理式 2…) ▶すべての論理式が正しいときは「TRUE」, そうでないときは「FALSE」を表示する。	=AND(1<A1,A1<100) ▶セル A1 の値が 76 の場合, 1 より大きく 100 より小さいので「TRUE」を表示する。	88
AVERAGE(範囲) ▶指定した範囲にあるセルの値や数値の平均を求める。	=AVERAGE(5,6,7) ▶5 と 6 と 7 の平均を求める。 =AVERAGE(A1:A3) ▶セル A1 〜 A3 の範囲の平均を求める。	81
COUNT(範囲) ▶指定した範囲にある, 数値データの件数を求める。	=COUNT(A1:A10) ▶セル A1 〜 A10 の範囲の数値データの件数を求める。	90
COUNTA(範囲) ▶指定した範囲にある, すべてのデータの件数を求める。	=COUNTA(A1:A10) ▶セル A1 〜 A10 の範囲のすべてのデータの件数を求める。	90
COUNTIF(範囲, 検索条件) ▶指定した範囲にある, 検索条件に一致するデータの件数を求める。	=COUNTIF(A1:A10,20) ▶セル A1 〜 A10 の範囲の中から, 値が 20 のデータ件数を求める。	90
HLOOKUP(検索値, 範囲, 列番号, 検索方法) ▶検索値を, 指定した範囲の最上行の中で行方向に検索する。	=HLOOKUP(A4,$B$12:$K$14,2) ▶検索値(セル A4 に入力された値)を範囲の先頭行(12 行目)から検索し, 見つかったら, 同じ列の 12 行目から数えて 2 行目(13 行)の値を返す。	90
IF(論理式, 値が真の場合, 値が偽の場合) ▶論理式を判断して, 真の場合, 偽の場合の処理を実行する。	=IF(A1=10,"Yes","No") ▶セル A1 の値が 10 のとき「Yes」を表示し, そうでないとき「No」を表示する。 =IF(A1>60,"○",IF(A1>30,"△","×")) ▶2 番目の IF 関数は最初の IF 関数の偽の場合になっている。最初の条件式(A1>60)が真のとき「○」, 偽のとき 2 番目の IF 関数の判定が行われる。つまり, セル A1>60 のとき「○」, 30<セル A1<=60 のとき「△」, セル A1<=30 のとき「×」を表示する。	87
IFS(論理式 1, 値が真の場合 1, 論理式 2, 値が真の場合 2,…) ▶複数の条件を順番に調べた結果に応じて異なる値を返す。	=IFS(A1>=60,"○", A1>=30,"△", A1<30,"×") ▶最初の条件式(A1>=60)が真のとき「○」, 次の条件式(A1>=30)が真のとき「△」, 3 つ目の条件式(A1<30)が真のとき「×」を表示する。	88
INT(数値) ▶数値を指定した桁数で切り下げる。	=INT(12.56) ▶指定した値を超えない最大の整数を求める。この場合, 「12」と表示される。	84
MAX(範囲) ▶指定した範囲にあるセルの値や数値の中から, 最大値を検索する。	=MAX(A1:A5) ▶セル A1 〜 A5 の範囲の中の最大値を求める。	82
MIN(範囲) ▶指定した範囲にあるセルの値や数値の中から, 最小値を検索する。	=MIN(A1:A5) ▶セル A1 〜 A5 の範囲の中の最小値を求める。	82
NOT(論理式) ▶論理式が正しいときは「FALSE」, そうでないときは「TRUE」を表示する。	=NOT(A1<30) ▶セル A1 の値が 15 の場合, 30 より小さく正しいので「FALSE」を表示する。	88
OR(論理式 1, 論理式 2, …) ▶いずれかの論理式が正しいときは「TRUE」, すべてが正しくないときは「FALSE」を表示する。	=OR(A1:A3) ▶セル A1 〜 A3 に TRUE, FALSE, TRUE が含まれているとき, 「TRUE」を表示する。	88
RANK.EQ(数値, 参照, 順序) ▶順序に従って参照する範囲内の数値を並べ替えしたときに, 数値が何番目になるのかを表示する。	=RANK.EQ(A2,$A$1:$A$5,0) ▶セル A1 〜 A5 にそれぞれ 5,2,3,4,1 が入力されている場合, セル A2 の値 2 は降順にすると 4 番目になり, 4 が表示される。並べ替えの順序は, 0 を指定するか省略すると降順, 0 以外の数値を指定すると昇順になる。	86
ROUND(数値, 桁数) ▶指定した数値を(小数点から数えて)指定した桁数に四捨五入する。	=ROUND("256.65",1) ▶小数第 2 位を四捨五入して小数第 1 位で表示する。この場合, 「256.7」と表示される。	84
ROUNDDOWN(数値, 桁数) ▶指定した数値を(小数点から数えて)指定した桁数に切り捨てる。	=ROUNDDOWN("256.67",1) ▶小数第 2 位を切り捨てて小数第 1 位で表示する。この場合, 「256.6」と表示される。	85
ROUNDUP(数値, 桁数) ▶指定した数値を(小数点から数えて)指定した桁数に切り上げる。	=ROUNDUP("256.64",1) ▶小数第 2 位を切り上げて小数第 1 位で表示する。この場合, 「256.7」と表示される。	85
SUM(範囲) ▶指定した範囲にあるセルの値や数値の合計を求める。	=SUM(B4:D4) ▶セル B4 〜 D4 の範囲の合計を求める。 =SUM(3,2,6) ▶3 と 2 と 6 の合計を求める。	81
VLOOKUP(検索値, 範囲, 列番号, 検索方法) ▶検索値を, 指定した範囲の左端列の中で列方向に検索する。	=VLOOKUP(A4,$A$13:$C$22,2) ▶検索値(セル A4 に入力された値)を範囲の左端列(A 列)から検索し, 見つかったら, 同じ行の A 列から数えて 2 列目(B 列)の値を返す。	89

手紙の文例集

頭語・結語

	頭語	結語
通常の場合	拝啓	敬具
返事の場合	拝復	敬具
丁重に書く場合	謹啓	敬白、敬具
あいさつ文を省略する場合	前略	草々
急用の場合	急啓	不一
再信の場合	再啓	敬具

主文起辞

さて	ところで	については
さっそくながら	ときに	

自他の呼び方

	自分の呼び方	相手の呼び方
一般	私・わたくし・小生	貴殿・貴兄・貴君・○○様
上役	私・わたくし・小生	貴殿・尊台・社長・専務
会社	当社・弊社・小社・わが社	貴社・御社
銀行	当行・弊行・小行	貴行・御行
官庁	当省・本省・当庁・本庁	貴省・御省・貴庁・御庁
学校	当校・本校・本学・わが校	貴校・御校・貴学
受領	拝受・受領・入手	ご査収・ご笑納・お納め
往来	お伺い・ご訪問・参上	お越し・ご来訪・ご来社
父	父・家父・実父	御尊父・お父様・お父上
母	母・家母・実母	御母堂・お母様・お母上
両親	両親・父母	ご両親・ご父母

時候のあいさつ

1月 酷寒の候　新春の候
・寒さ厳しき折り、
・寒さことのほか厳しい日が続いております。

2月 晩冬の候　残寒の候
・春間近とはいえまだまだ寒き折り、
・梅のつぼみもそろそろ膨らんで参りました。

3月 早春の候　浅春の候
・寒さもだいぶ緩んで参りましたが、
・日増しに春めいて参りました。

4月 春暖の候　春陽の候
・希望に満ちた新学期を迎え、
・花の便りに心もはずむ季節となりました。

5月 薫風の候　晩春の候
・新緑の目にしみる季節となり、
・近くのバラ園には深紅のリンカーが咲き乱れております。

6月 初夏の候　向暑の候
・さわやかな初夏を迎え、
・いつ梅雨が明けるのでしょうか、
　その日を待ちわびる今日このごろです。

7月 盛夏の候　酷暑の候
・連日暑さを増しておりますが、
　朝顔の花に心も救われるようです。
・今年は、夏とはいえ先月来の長雨が続いております。

8月 晩夏の候　残暑の候
・暦の上ではもう秋ですが、日中は今なお厳しい暑さが
　続いております。
・残暑ひときわ厳しい日が続いております。

9月 新涼の候　新秋の候
・朝夕はようやくしのぎやすくなりました。
・秋色もだいぶ深まって参りました。

10月 秋冷の候　清秋の候
・紅葉が目にしみる今日このごろ、
・日ごとに秋も深まって参りました。

11月 晩秋の候　向寒の候
・朝夕はだいぶ冷え込む季節となりました。
・日ごとに寒さが加わって参りました。

12月 初冬の候　寒冷の候
・寒さもひとしお身にしむ季節となりました。
・年の瀬もいよいよ押し詰まって参りました。